がんばらない

鎌田　實

本書は二〇〇〇年九月、集英社より刊行されました。

がんばらない　目次

命を支えるということ

患者が来ない病院

がんばらない

医療が変わる

あなたはあなたのままでいい

がんばらない

命を支えるということ

魂への心くばり

一月十五日、信州は小正月とよばれるもう一つの正月を祝う風習がある。今年、二〇〇〇年一月十五日は、諏訪《すわ》では珍しい暖かな夜だった。

一年前に、卵巣がんで亡くなられた、なお子さんをしのぶ会が、「泰鳴軒《たいめいけん》」というフランス料理店で開かれていた。初めての店だった。案内状をもって小さな店を探し歩いた。

ドアを開けると、なお子さんの好きだった『イマジン』や『百万本のバラ』『アメイジング・グレイス』のきれいなソプラノが聞こえてきた。バイオリンとピアノが美しい旋律をかなでている。小さな店は三十人ほどでいっぱいになっていた。

一人ひとりがなお子さんとの思い出を語る。夫の滋《しげる》さんにとって初めて聞く、妻のもう一つの顔。

障害者と行くふれあい列車のボランティアの仲間、障害者の自立をめざした喫茶店

「ピュア」を運営する仲間、戦前から残っている片倉財閥の持ち物だったレンガづくりの洋館「片倉館」で温泉を楽しむお風呂の会の仲間、同じ病院に入院していた病気と闘う仲間、同級生、そしてなお子さんの命を最期まで在宅で支えた病院のスタッフ。一人ひとりから、単身赴任《ふにん》を長くしていた滋さんの知らない、もう一つのなお子さんの世界が語られていく。ひとりで写真館を開業し、諏訪の福祉文化をつくる会に参加し、おもちゃ図書館に協力し、ボランティア活動をするたくさんの仲間を支えていたなお子さん。

そんな活動的ななお子さんにとっていちばん大切だったのは、家族との当たり前の生活であった。

「希望をもたなければ、何事も始まらない。どんな希望といわれてもうまくいえないけれど、普通の平凡な日常生活さえ営めれば、それ以上には望みません」となお子さんは語っていた。

彼女が諏訪中央病院にやってきたのは四十九歳のとき。それまでに隣の町の大きな病院で卵巣がんの手術と、十クールの抗がん剤の治療をうけていた。

病気の勢いは強く、すでに肝臓や肺に転移を起こしていた。がん性腹膜炎のため、腹水を定期的に抜いてあげないと、つらく苦しく我慢できない状態だった。体も心もくたくたに疲れきっていた。それでも彼女は自分を見失っていなかった。転院してきて初めての診察のとき、彼女は自分の希望を語った。

「最後まで、できればぎりぎりまで、家にいたいと思っています。今までの病院では、動けるのに、寝てなさいといわれつづけてきた。でも動けるあいだはがんばって動いて、何でもやりたい。食事の仕度だって、できるあいだはわたしがやる。痛いのを我慢してでも動いていたい。何度でもいいます。できれば最後まで家にいたい。病気が進んでしゃべれなくなったら、きっと家族の者がわたしの身の振り方を決めると思うけれど、そんな時にわたしの意志どおりにならないことがないように、今こうしてしゃべれるうちに、いろいろ話しておきたい。

家にいさせてほしい。動きたいのに、動けるのに動いてはいけないといわれるのはつらい。三度の食事を運んでもらって、食べて、薬飲んで、あとは寝てるだけなんて生活はいやです。わたしは病人だけど、病人になりたくないのです。わかりますか」

選択はあなたのもの

ぼくらの病院のロビーには、市民へのメッセージがかかげられている。

予防からリハビリまでの一貫した医療、地域に密着した手づくりの医療、救急医療から高度医療を担《にな》うという三つのスローガンと、医療方針実現のため、待ちの医療ではなく、出ていく医療。患者、家族、地域の立場に立って考え、行動する医療を目指すパネルの横に、もう一つのメッセージがかかげられている。患者さんの権利がうたわれている。

人格を尊重される権利
平等な医療を受ける権利
最善の医療を受ける権利
知る権利
プライバシーの権利
自己決定の権利

この六つの権利のなかで、特に「自己決定の権利」にのみ説明がついている。

「患者さんは、充分な情報と医療従事者の誠意ある説明、助言、協力を得た上で自ら選択し、あるいは拒否する権利を有します」

ぼくらの病院は、特にこの自己決定の権利を大切にしたいと思っている。自分の生き方を自分で決められないお年寄りも多いことは事実である。しかし、なお子さんのように、自分の命のあり方を自分で選択したいと思っている人もいる。そんな人には

「チョイス・イズ・ユアーズ」（選択はあなたのものです）、といってあげられる医療をつくっていきたい。

なお子さんには、できるだけ自宅で、望むような生活を送ってもらう。諏訪中央病院では、そのために訪問看護という形で、彼女の病状を診《み》ていくことにした。在宅ホスピスケアである。

ぼくらの病院の訪問看護には四つの理念がある。

その人らしく生きることを支援する
対象者とその家族を尊重する
自立・自律への援助をおこなう
最後まで共に歩む

この理念を培《つちか》ってきたものは、正月も含めて徹底した二十四時間対応型の訪問看護、がん患者の完全支援、院内外の幅広い連携などである。

医師と看護婦が同道することもあれば、看護婦さんだけで訪問看護することもある。患者からSOSが出ると、すぐに看護婦が飛ぶ。状況によってはすぐにドクターを呼んだり、ドクターの電話指示ですぐに治療を開始することもある。患者が病院にいるときと同じような安心が得られるように心がけている。

一回目のお見合いは成功した。なお子さんも、訪問看護のスタッフもお互いを気に入ったようだ。二回目の訪問看護も順調。その様子がカルテに残っている。なお子さんから合格点をもらえたようだ。

なお子さんは「いくら今後の望みがない状態でも、人間って何かにすがりたいのよ。今までの病院では先生がたに対しても、口元までいいたいことが出かかっていたけど、みんな我慢してきた。手術だけして『運がよかった。助からないけど、ここまで生きられてよかった』じゃなくて、その先のケアをしてほしかったの。こういう形でみなさんが動いてくれて、ほんとうにうれしかった」といった。

カルテに残された言葉からも、つらい時期を越えてこられた、生きる力みたいなものを切実に感ずる。自分の置かれた状況も受容されているようだ。スタッフの思いもカルテにつづられている。

前回の訪問時に、自分がどう残された日々を過ごしたいのか話されているので尊重していきたい。

調子がよければドライブなど、家族との時間がすごせるとよい。今までの病院の入院中のつらかった分、今の時間を大切にできるとよい。なお子さんの訴え、思いをゆっくり聞いていくことを大切な目標にしたい。

たとえ手遅れの進行がんでも、手術をしたり、抗がん剤で治療しているときは、どんなに淡い希望でも、希望が命を支えているのである。九十パーセントは効かないと思います、と主治医から正直な説明を受けたときも、十パーセントの奇跡に、人は夢をたくする。九十九パーセントだめだといわれたときですら、一パーセントに希望を見出す人もいるのだ。だが、すべての積極的治療が患者さんをかえって弱めてしまう。すべての積極的治療を止めるとき、患者さんはとてもつらい。この時期は患者さんにとってもっとも悲しく苦しいときである。

医療者側に打つ手がないからといって投げ出してしまうのでは、患者さんは浮かばれない。このときが、支えがいちばん必要なときかもしれない。しかし、日本の平均的な医療は、このときの支え方を知らない。二十世紀、日本の医療は想像を超える進歩をとげた。多くの医学者が、自らの命を投げ出して研究を進めたといっても言い過ぎではないと思う。がんばって、がんばって医学が進歩して、得たものも大きかったが、何か大切なものを二十世紀の医学は置き忘れてきてしまったように思えてならない。病気と闘い、勝ちにいく医療のときは、二十世紀の進歩した医療はとても心強い。しかし医学がどんなに進歩しても、死は永遠には回避できない。必ず訪れる死。病気と闘うときも、死を受け入れるときも、魂に寄りそってくれるような、医療があったらいいなあと思う。患者さんは、そんな医療を待っているような気がする。死を前にしたときも、敗戦処理をするのではなく、その人の人生の舞台に、後ろからあたたかな光をあててあげるような医療が必要ではないだろうか。

敗戦処理に出たピッチャーが大逆転してもらい、勝利投手となるような医療があってもいいように思う。人生の大逆転を信じて、ぼくらはピンチを乗りきれるようなピッチングをしたいと思っている。

希望は患者さんにとってだけではなく、ぼくら医療者にも必要なのかもしれない。どんなピンチにも、ぼくらは投げ出さない医療をしたい。無謀なことや、無茶苦茶な治療をするのではなく、その人がその人らしく生きれるように、そっと寄りそうような医療がしたいと思っている。

なお子さんは「病人になりきらないこと」「家にいたい」「最後まで自分らしくしていたい」といくつもの思いを大切に、精いっぱいに生きる。

悲しみを共有してくれる家族がいる

当院の在宅ケアが始まって一か月ほどたった頃の、彼女の生き生きとした姿を、訪問看護婦はこんなふうに語っている。

「ある日の午前、初めて一人で訪問看護にうかがったときの光景を、今もはっきりと覚えています。雨あがりに春の陽射しがまぶしい日でした。つば広の帽子に草刈り鎌《がま》をもったいでたちで、なお子さんはわたしを迎えてくれました。『こんにちは、お通じも出て調子いいから、庭の草取りをしようと思ってね。わたしはお通じがあると調子いいみたい』

腹水でふくれたおなかと、黄疸《おうだん》で黄金色になった皮膚。それとは裏腹に、なお子さんの表情からはやさしい微笑がこぼれていました。

そのうち、犬の散歩を終えて次女の方が戻ってきました。そして『疲れた体を楽にする料理』と題する料理をもって、義理のお姉さんがやってきました。なお子さんの周りに三人が集まり、ひと時のティータイム。

みなさん、初めての訪問看護で緊張して、コチコチになっているわたしの気持ちをほぐしてくれるかのようでした。彼女の周囲では、いつもの生活が流れていました。そのなかに自然な姿でのなお子さんがいるのです。その光景は、わたしが過去に知り得た他の病院の病棟でのターミナル期の患者さんとは、大幅にかけ離れたものでした」

医師の訪問診察が二十六回、看護婦による訪問看護が五十六回、それ以外に電話対応が三十三回。なお子さんが亡くなるまでの五十三日間、全部で百十五回、ぼくらはなお子さんと家族を支える活動をした。そして五十三日間を、彼女は生きることに真剣勝負をした。そのことを闘病日誌に書き残している。

父ちゃんが本当によくしてくれてもったいないほどです。すばらしい先生にも出会えたし、がんはこわいけど、くよくよせずに明るく生きていけるような気がする。

痛みや苦しみや不安におそわれることもあった。そんなときは、夫と三人の娘たちが実に見事に支えた。

しかし衰弱がひどくなってきた。亡くなる一週間ほど前、なお子さんから「大鹿村《おおしかむら》へ行きたい」との言葉が出る。大鹿村までは自宅から片道三時間くらいかかる。どうしよう、みんなが迷った。

大鹿村は、なお子さんに長女が生まれた頃、滋さんのダム建設の仕事の関係で、二年間ほど家族で住んでいた場所だ。なお子さんが散骨してほしいと希望していたところでもあった。

「行きたい、行きたい、だって最後だもん……」なお子さんは顔をくしゃくしゃにして泣く。

次女が賛成する。「そうだよね、行こう、お母ちゃん。こうやってベッドに寝ているだけじゃなくて、大鹿村へ行こう！　みんなそろって行くなんて、姉ちゃんが結婚してからないよ。明日ならみんなで行ける。沖縄だって今とは状況が違うけど、行ったらそれなりに楽しめたじゃない。思いきって行かないと、行けないよ」

なお子さんは不安そうな表情で、旦那さんの手を強く握る。旦那さんは「なあ、なお子、今よりも車に乗りゃあ、ごしたい（いだる）かもしれんぞ。でも、それも覚悟で行こう。なっ、なお子」と励ました。

行きたいと思いつつ、行ける体力があるか、なお子さんの心が揺れる。迷いながらも行かしてあげたいと思う家族。それぞれのあたたかな思いが行きかう。

残された時間は少ない。家族の最後の小さな旅をなお子さんが決めた。なお子さんのことを心配しながら、全員がお母さんを支える。

なお子さんは、なお子さんらしく、なお子さん色の人生の選択をした。

魂のケア

看護婦が相談すると、ドクターはすぐに賛成してくれた。準備が始まる。寝台タクシーが用意され、夫と娘たちの都合に合わせて日程が決まった。

主治医は東京にいたが、すぐに茅野《ちの》に戻り、片道三時間のドライブについて行くと返事がくる。

なお子さんは「夢みたーい、夢みたーい、ほんとに行けるの。うれしい。ありがと、ありがと」と、看護婦の手を握って涙を流す。

同行する看護婦も決まり、点滴や各種の鎮痛剤や突然の呼吸停止にそなえての医療器具や、ポータブル・トイレなどすべてが準備された。

昔ダムをつくるために、ご主人と入った過疎の村での生活の思い出を、もう一回見ておきたかったのだろう。ここに散骨を望んでいたということは、自らの魂が帰る場を、自分で確認しておきたかったのかもしれない。

そのとき、ぼくの頭にある疑いが浮かんだ。なお子さんは、自分が見たいというより、三人の子供たちに見せておきたかったのかもしれない、と。一八五四年、ネイティブ・アメリカンのドウワミン族長シアトルが、アメリカ大統領に出した手紙を思い出した。

水のささやきは私の父の父の声です。川は我々の兄弟であり、我々の渇《かわ》きを癒《いや》してくれます。川は我々のカヌーを運び、我々の子供たちを養います。もし、我々のこの土地をあなた方に譲るとするなら、その時あなた方は、川とは我々の、そしてあなた方の兄弟であり、どの兄弟にも示すその親切を川にも示さねばならぬということを、必ず思い出してください。

白い人の死者は星の間を歩き始めると、生まれ故郷を忘れます。我々の死者は決してこの美しい大地を忘れることがありません。なぜならそれは、赤き人々の母だからです。我々は大地の一部であり、大地は我々の一部です。香りたかき花は我々の姉妹であり、鹿や馬や大きな鷲は我々の兄弟です。岩場の山頂、野原の露、ポニーの温かい体、そして人間みな、一つの同じ家族に属しています。

あなた方はご自分の子供たちに、足の下の大地は我々の祖先たちの遺骨の灰であることを教えねばなりません。彼らが大地を尊ぶためです。子供たちに、地球は我々の親族の命、すなわち、大地は我々の母である、ということをあなた方の子供たちに教えてやってください。大地にふりかかることは、大地の子らの上に降りかかります。地上に唾を吐くことは、自分自身に唾を吐くことです。我々は知っています。大地は人に帰属せず、人は大地に帰属する、ということを。血が

一つの家族を結ぶように、そのように結び合っていることを。（訳・押田成人）

なお子さんは娘たちに、信州を忘れないように、人間と大地のつながりを忘れないように、家族の結びつきを忘れないように、いくつもの思いをもって最後の小さな旅をしたのではないだろうか。人はつながりのなかで生きている。人と人のつながりのなかで生活をいとなみ、人と自然のつながりのなかで命は生かされ、体と心のつながりのなかで、生命を育んでいる。ぼくらが生きている今という時代は、この三つのつながりが、ことごとく断ち切られているように思えてならない。なお子さんの小さな最後の旅は、この三つのつなぎ目をしっかり結び直す旅だったような気がする。

彼女は遠い意識のなかで、家族との最後の大切な時間を過ごした。

濃密な時間が過ぎた。ターミナルステージの患者さんには四つの痛みがあるという。肉体的痛み、精神的痛み、社会的痛み、霊的痛み。このなかで霊的な痛みは日本人にはわかりづらい痛みといわれる。魂の痛みと訳す人がいる。大鹿村への家族そろっての小旅行は、霊的な痛みのケアになったような気がした。

大鹿村に行った三日後、なお子さんは家族に見守られながら、大好きな自宅で静かに静かに息をひきとった。

なお子さんの旅立ちの衣装は、生前気に入っていたカラフルな配色のブラウスと、ブレザー、そして黒のスパッツ。すべて娘さんたちの手で準備された。

涙はあったが明るい笑顔が見られた看取《みと》りであった。部屋には彼女のお気に入りのブラームスが流れ、テレビには家族との最後の小さな旅となった、大鹿村へのドライブのビデオが流れていた。

なお子さんは、今はもうこの世にはいない。ぼくらが踏みしめているこの大地へ帰っていった。今、ぼくたちは諏訪の小さなレストランで、ブラームスを聞きながら、なお子さんをしのんでいる。

「本当に大事なものは見えない土のなかの根っこにある」といっていたなお子さん。なお子さんの大事な根っこはなんだったのだろう。果たしてぼくたちの魂のケアは、なお子さんの心の根っこに近づくことができたのだろうか。いつか日本じゅうの病院が魂の心くばりのできる医療をおこなえるようになることを願っている。

ある青年の死

高校三年生の研治くんは、悪性リンパ腫《しゅ》と診断された。抗がん剤による化学療法が始まり、苦境を乗り越えて、完全に治癒《ちゆ》はしていないが、一時的に寛解《かんかい》になった。血液の悪性疾患《しっかん》はなかなか完全に治ることはなく、一時的によくなることを寛解と表現することが多い。主治医からは父親に、今は治っているように見えるがすでに病気が進んでいて、完全に治癒することはないと説明されていた。

家に帰ると、研治くんの家族は、「びわの生葉」「カキのエキス」「正食法」などの、助かるといってくれる民間療法にすがった。多くの民間療法はなんでも助かるといってくれる。助かるといってもらいたい家族は、藁《わら》をもつかむ思いで本当に藁をつかむ。

その間に、父親は研治くんに主治医から聞かされたとおりに告知をした。世間の噂《うわさ》から、病気のことが本人に知れるのがいちばんかわいそうだ、つらいけど親の口から話してあげたいと思ったのだ。家族全員そろったところで話が始まった。夜から深夜になり、明け方四時を迎えようとしていた。

それから、研治くんは自分の部屋に閉じこもり、しばらく口をきかなかった。家族はおろおろしながら、祈る思いでじっと研治くんの部屋のドアが開かれるのを待った。その日の夕方六時、ドアが開かれた。目は真っ赤だった。「お風呂に入りたい」とひと言。

研治くんはもとの明るい研治くんにもどった。自分が悪性リンパ腫であること、かなり進行した状態であることを知って、心の衝撃を受け、そんなことがあるはずがないと「否認」し、「怒り」「取り引き」「抑鬱《よくうつ》」、そして「受容」へと心が次々に変化していったのだろうか。「取り引き」っていう言葉は、日本人には実にわかりにくい。善行によって延命できると希望を持ったり、「これさえ叶《かな》ったらそれ以上の延命は望まない」などと暗黙の約束を神としたりすることと考えるといいか。しかし、日本人は「神」というのも縁遠いから、やっぱりわかりにくい。

研治くんは、受容したように見えたが、真に受容にいたるには、さらに時間が必要であった。おそらくひと晩で怒りまできて、取り引きの段階で部屋から出てきたのではないか。なんとか病気を克服する、「病気には負けないぞ」と大逆転ホームランをねらっていたのだと思う。彼を見ていて不思議だったのは、抑鬱の時期が見られなかったことだ。

キューブラー・ロスが『死ぬ瞬間』(読売新聞社)のなかで語っているような、受容に向かっていく心の変化は、一つの行路だけでなく、いくつもの行路があるのではないかと思った。

　研治くんは何日も眠れない夜を過ごし、初めは家族に嘘をつかれたと反抗したが、家族の愛のなかで、時間をかけながら病気を受容していった。

　四か月間、病院から離れて民間療法をしている間に、寛解にあった彼の悪性リンパ腫が暴れだし、腫瘍《しゅよう》ははっきりと大きくなりだしていた。不安になった本人と家族が再び現代医学にもどってきた。

　ぼくは民間療法か、西洋医学かで揺れている彼と家族に、はっきりといった。

「研治くんの命は五年か十年かまったくわからないが、とにかく残された人生を有意義にすごしてください。お家の方々のお気持ちはよくわかるのですが、今は研治くんの気持ちをいちばんに考えてあげたい」

　研治くんはうなずいた。

「五年しか生きられないとしたら、俺だってやっておきたいことがいっぱいある。民間療法で治るほど、この病気は甘いもんじゃないんですね。残された人生が五年か十年かもしれない。それしかないと思ったほうが、毎日、充実して生きていける。もっともっと生と死を激しく見つめてみたい。見つめなければいけないときに来てると思います。現代医学の治療を、体の調子もよいから挑戦してみたい」

しかし、母親はまだ東洋医学に未練を残していた。

その母親に、彼は訴えた。

「これ以上、母さんを苦しめたくないよ。いちばん苦労してくれたのは母さんだから、東洋医学か現代医学にするかは、もう一度院長先生の診断を受けてから、俺が結論を出す」

このへんのバランスが実に見事な青年だった。いつも人に気をつかうやさしい青年だった。母のことを思いながら、自分の生き方を高校三年生の研治くんが自分で決めた。

そして病気と真正面から闘うために、彼は自分で退学届を出した。スケート部で彼はエースだった。長野県の期待の星であった。その彼が学校をやめた。病気との熾烈《しれつ》な闘いが始まった。

何度もの抗がん剤療法が繰り返され、そのたびに研治くんは不屈の精神で乗りきった。一時的に快方に向かうが、悪性細胞のトータルキルはできず、しばらくすると再発するという症状がくり返された。

長野県のスケート強化選手だった研治くんを、さまざまな人が応援し、励ましてくれた。オリンピックのメダリスト黒岩《くろいわ》彰《あきら》氏もそのひとりで、著書『36秒77——失敗だらけの青春』(コネス)の本を持って、勇気づけに来てくれた。

研治くんは、見舞い客に対してにこやかに応対し、仲間にも励まされ、肺炎の危機も何度も乗り越えた。

この彼の明るさと強さは、どこから来ているのか。病気を隠さず、きちんと告知されていること。そして自分の生き方や治療法を「自己決定」してきたこと。そして素晴らしい家族。すてきなガールフレンド。うらやましいほどたくさんのいい仲間。いくつかのことが考えられる。

自分に同情されることを嫌い、他人への同情心とやさしい心を忘れない研治くん。病院の公衆電話で話をしているとき、老人が彼の後ろで電話が終わるのを待っていることに気がつくと、「じゃ、またね」とすぐに電話を切る。そんなあたたかな青年だった。

治療前後に必ずおこなう、家族に対する病状や検査結果の説明に対し、「先生の話は包みかくさず、全部俺に伝えてほしい。たとえ明日滅びる命といわれてもいい、『真実』のみを……」

それが、家族を前にしての彼の切実な願いであった。「植物人間化してまで生かしてくれるな！　先生、看護婦さん、俺を見守ってくれた多くの人たちによって、二年間も余分に生かされたのだから、最後まで俺の力で生きたい」

研治くんは次々と希望を出した。

「お葬式は中大塩《なかおおしお》の家から出してほしいけれども、家が狭いから無理だよね」

「公民館は絶対いやだ。正光寺《しょうこうじ》のお寺にしてほしい」

「写真はどれにしようかな、カッコいいのを頼むよ。派手にやってほしい。母さん、いつまでもメソメソと泣いているなよ！」

治療が始まって二年がたとうとしていた。何回かの寛解のときは、退院や外泊の機会をつくって自分の時間を生きた。

東京ドームができた年だったと思う。一年に一回の病院職員の親睦会が東京ドームとディズニーランド行きに決まった。東京ドームに行きたがっていた研治くんを職員旅行に誘った。おかしな病院である。職員旅行に患者さんが参加していても、ちっとも不思議な感じがしない。残念なことに前日、彼は発熱して、旅行に行くことはできなかった。もちろん、行けなかった研治くんにたくさんのおみやげが届いていた。

自分の墓を見にいく

死にたくない、生きていたい、でも生きられない。

これほどつらいことってあるだろうか。

俺はよい子では死んでいかない。

鈴本家の家族にはいいたいこと、わがままをいわせてほしい。

俺がときどきわからぬことをいうのも、また家族にあたりちらすのも生への闘いなのだ。

生きたいからがんばっているのだ。

怒る気持ちも消えて、何もいえなくなってしまったときは、病気との闘争心をなくしてしまったときなのだ。

これから先はますます苦しくなるだろうが、俺は最期まで闘う。

そして俺のために家族のために少しでも長く生きたい。


研治くんの残していった言葉からは、死を目の前にした、彼の息づかいが聞こえてくるような気がする。彼は二十歳になろうとしていた。すでに死が音もなく近づいていた。キューブラー・ロスのいう「怒り」はとっくの昔に通り過ぎていると思っていたが、心のなかにはフツフツと「なんで自分がこのまま死ななくてはならないんだ」と、怒りがわいていたようだ。

告知を受けた患者さんの心は、ロスのいうような一方向の簡単なものではなく、怒りから受容へそしてまた、怒りへ戻ったり、心はよくジグザグ運動をする。人間の心はそんなに簡単に割り切れない。受容にやっと到達したと思った末期がん患者が、また鬱《うつ》状態に戻ったり、振り出しの「ぼくががんのはずがない」という否認に戻ったり、まるで子供のころ遊んだすごろくのようだ。

否認から、サイコロの目が「二つ進め」と出て、「怒り」や「取り引き」に寄らずに、直接「抑鬱」に入りこむ人もいる。そのうえ、「休め」のサイコロの目が出ると、しばらく抑鬱状態がつづくこともある。「『今日生きねば明日生きられぬ』という言葉想《オモ》いて 激しきジグザグにいる」ぼくは歌人、道浦母都子《みちうらもとこ》のこの歌が好きだ。研治くんもジグザグのなかにいた。

ぼくの大学時代の同級生に長谷川幹という、おもしろいリハビリ医がいる。彼が障害の受容についてこんなことをいっていた。

「障害の受容という言葉を医療人はよく口にするが、そんなに簡単なことではない。障害を受け入れてはいないが、日常的に、麻痺《まひ》や障害などの回復する話が、あまり出なくなる状態と考えたほうがわかりやすい。そして、そのような状態になるのに、数年かかるのが普通だ」

同感である。障害や死の受容はそんなに簡単ではない。研治くんも悪性リンパ腫であることを家族から話してもらったが、ひと晩だれとも口をきかなかった。ひと晩で受容したように見えたが、受容に軸足を置きながらも、「否認」や「怒り」や「取り引き」に、行ったり来たりしていたのだ。このジグザグがなんとも人間的で、いとおしい。

研治くんは外泊を繰り返した。外泊で痛み止めが必要なときは、病棟の看護婦が注射をうちに家まで出かけた。

　最後となった外泊のとき、ぼくは後から聞かされたのだが、彼は墓地を見にいっている。

「母さん安心したよ。俺の行くところを見てきた！　八ヶ岳が見えて、霧ヶ峰、蓼科《たてしな》山《やま》に見守られて景色のものすごくよいところだね。おまけに俺の部屋の障子まで見えた。いいところだったよ」

　さばさばと口にする研治くんの言葉に、家族は涙だけは見せまいと必死にこらえたという。

　それから少したって、研治くんに呼吸困難がおきた。

「弱気になるな！　がんばれ！」とは家族の誰の口からも出なかった。これ以上生きてほしいと願うはうが、どれだけ残酷なことかわかっていたのだ。もう彼にこれ以上誰も「がんばれ」といえない。

　ぼくは「がんばらない、がんばらない。これまでよくがんばってきた、もうがんばらなくていいよ、きみはきみのままでいいんだよ」と胸のうちで思った。

　父親が聞く。「いい残すことはないか」

「今日一日をどうやって生きようかと、それだけで精いっぱいだ。今さら何を……。現実を知ってがんばってきたのだから、悔いはないがやり残したことはいっぱいあるさ。海外旅行もしたかったし、結婚して俺の子供もほしかった……もっと生きたい……いってもきりがないことだ。これが俺の運命だったんだ。全精力を病気との闘いにかけたので思い残すことはない」と、研治くんが答えた。無念だったと思う。

彼は静かに最期の息をひきとった。闘いきったやすらぎともいえる顔、何もいわず、大きな目からじわじわとにじみ出る大粒の涙が、二筋の光となって頬を流れ落ちた。

研治くんの葬式に参列した。涙がとめどなく落ちてきた。ぼくは心のなかでつぶやいた。命は長さではなく、輝きなのだ。一陣の風のように、彼はたくさんの人々に勇気と、明るさと、人間のすばらしさを教えて、風のように光のなかを去っていった。

「もっと生きたかった」彼の声が耳に残る。「もっと生かしてあげたかった」ぼくを無力感が襲う。命の袋小路に迷い込み、突破口を見つけることはなかなかできなかった。

そのとき、病棟の食堂から見える八ヶ岳の美しさに心を動かされている研治くんを思い出した。特に新雪が降った後の八ヶ岳は美しい。

「姉貴、八ヶ岳がきれいなの知ってるか」

彼は気の合うお姉さんにぶっきらぼうに話した。季節によって、日によって、時間によって八ヶ岳の姿が変わる。そのどれもこれもが彼には美しく見えた。

研治くんのお母さんは彼が亡くなった後、「研治の生き方は、私たちの人生観や価値観までも変えた」と語る。元気を回復されてからは、病院ボランティアとして活躍していただいている。幸せな病院だと思う。感謝の気持ちでいっぱいだ。病院が救命したときだけ感謝されるのではなく、救命できなかったあとも感謝し合える関係でいたいと思う。これからももっと深いところで、家族や地域の人々とつながり、信頼し合える関係を築いていきたい。

研治くんが死んだ後、こんなエピソードを聞いて、ぼくは救われた。彼の引き出しのなかから、寺院や神社のお守りが十一個も出てきた。このうちのいくつかは、看護婦たちが旅行した先々で買い求め、そっと研治くんに渡したのだと聞いた。西洋医学のまっただ中で、ぼくらの病院の看護婦は平然と神だのみをしている。とてもいい話だと思った。十一個のお守り一つひとつに、いろいろな人の祈りや思いがあったのだろう。医学の進歩も、十一個のお守りも彼を助けることはできなかったが、大好きな同じ八ヶ岳を見ながら、ある期間、共に生きた、生きられた、生かされた時間をすごせたことを幸せだと思っている。

研治くんがこの世を去るとき、最後に吐き出した息をぼくらは受け取り、呼吸をしている。研治くんの病気との闘いのなか、一貫して何か彼独特の自然観や死生観が支配していたように思う。家族や仲間や医療スタッフにたくさんの思いを残して、彼はこの世から忽然《こつぜん》と去っていった。

ぼくが告知にこだわる理由《わけ》

今から二十年ほど前、「たぬきのおばあちゃん」のご主人を白血病で看取った。この呼び名は、おばあちゃんの息子さんがよくぼくらの子供たちをかわいがってくれ、「たぬき」という遊びをしてくれたことからついた。子供たちは息子さんを「たぬきのおじさん」、そのお母さんを「たぬきのおばあちゃん」と呼んでなつき、おばあちゃんはよくイモ掘りによんでくれて、家族づきあいをしていた。

病院では、家族と相談して、「おばあちゃんに知らせると患者さんにわかってしまうので、おばあちゃんには知らせないでおこう」ということになった。おばあちゃんには貧血と説明した。

その頃のぼくは、この説明をあまり不思議に思わなかった。インフォームド・コンセント（説明と同意）が浸透している現在は、妻であるおばあちゃんに話さないなんてことは、まずないと思う。インフォームド・コンセントの進んだ病院なら、まずいちばんに本人に説明する。本人が告知を受けた後、誰と誰には説明してくれ、他はプライバシーを守ってほしいなどの自己決定がされ始めている。ぼくらの病院でも、それに近いインフォームド・コンセントをしているドクターたちが多くなってきた。多くの医師たちは、本人も必ずまじえて、家族全体に説明するようにしている。

「たぬきのおじいちゃん」には「貧血」と、嘘の説明をしていた。そのうえで嘘がバレないように、おばあちゃんにも嘘をつくことにしたのである。一つの嘘が次の嘘をつかせている。

当時、そのことにぼくは疑いをもっていなかった。それでよいと思っていた。先輩の医師から、「妻ががんになったら、その夫をよんでがんの説明をしろ。反対に、夫にがんが見つかったときには、妻には本当のことをいうな。息子をよんで説明しておけ。女性は真実を知ると、とり乱して泣くから、泣けば本人があやしむ、嘘がバレるから女の人にはいうな」と教えられた。

男はしっかりしていて悪い事実にも耐えられるが、女の人は気が弱いから聞かせたくないようなことは話さないほうがよいということだ。今、思うと大きな考え違いだったと思う。男と女とでは、耐える力が違うなどということは、まったくないと思う。仮に違いがあるとすれば、肝っ玉がすわっているのは女性で、真実の話の前でオタオタするのは男性のほうが多いような気がする。

主治医のぼくはその頃の常識のなかで、おばあちゃんには話さないでほしいという子供たちの思いどおりに、「貧血」だと嘘の説明をしてしまった。病院では抗がん剤を使用して寛解導入し、延命をはかった。そして少し状態が改善すると、治る病気ではない限られた命だからこそ外泊をひんぱんにさせた。ただの貧血だと思っていたたぬきのおばあちゃんは、おじいちゃんがゆっくり養生できるように、おじいちゃんの分まで野良仕事に精を出していた。

外出でせっかくの二人の時間をつくってあげたつもりが、たぬきのおばあちゃんは野良へ行ってしまい、二人ですごすことはできなかった。病気は徐々に悪化し、一年ほどでおじいちゃんは亡くなった。

おじいちゃんが亡くなって数年たってからのことだ。たぬきのおばあちゃんの作ってくれたおいしいイモ汁を食べていると、おばあちゃんはしんみりと、「先生、じいちゃんの病気のこと、なんで教えてくれなかった」と問いかけてきた。「じいちゃんが死んでいく病気で、先生はそれがわかっていて、一生懸命じいちゃんを少しよくしては、家に帰してくれても、私は知らなかったので、じいちゃんを放っぽり出して野良仕事ばかりしていた。じいちゃんは畑のことを心配していた。畑のことは私がしっかり代行しているよ、って見せてあげたかった。野良なんてどうでもよかったのさ。じいちゃんに安心してゆっくり養生してもらいたいから、私は外へ無理して出ていた。

たいした用はなかった、外出の日ぐらいどうにでもなったのさ。治らない病気だと知っていたら、じいちゃん一人にしないで、じいちゃんの布団のなかに入って、いっしょにいろんな話をしてあげたかったのに」と、たぬきのおばあちゃんは笑いながら話してくれた。

「いっしょの布団に入りたかった」か。いい話だなあ。ぼくは二人にそうしてもらいたいと思って外出をさせた。だけど「貧血」というぼくの嘘がそうさせなかった。ぼくが勇気を出して、白血病であること、命に限りのある病気であることを、たぬきのおばあちゃんに伝えていたなら、おじいちゃんは自分の家の、自分の部屋の布団のなかでひとりポツンとしていなくてすんだのだ。

日本流のやさしさがつらい話は聞かせないという習慣をつくってきたが、告知をしないことは本当のやさしさだろうかと思った。

古代ギリシャの時代、医聖といわれるヒポクラテスは、「治療の間はなるべく何事も患者に知られぬように、冷静に巧みにおこなわねばならぬ。患者の抱く不安に対しては、物静かな顔容《かおかたち》をもって応答し、さらに再び注意深く慰安の言葉を与え、いやしくも治療の結果において患者に恐怖を来さしむるようなことをうちあけてはならぬ」と、述べている。ヒポクラテスは患者には具合の悪いことは告げるな、上手に嘘をつけと述べている。

日本の医療はこれをかたくなに守ってきたように思う。これで患者さんたちは満足していたのだろうか。ぼくの人間観は、このたぬきのおばあちゃんの、いっしょの布団に入りたかったのひと言で変わった。ヒポクラテスという哲人の教えよりも、玉川村の、たぬきのおばあちゃんのひと言に、医療が守らなければならない核心があるように感じた。普通の人の、普通の思いを支えてあげられるような医療がしたいと思った。

二十年前、患者さんにわからないようにするために、たくさんの嘘をついた。それ以来、ぼくはできるだけ「気づいてもらう」ように、できるだけ本人にも、家族にも嘘をつかないように話をすることにしている。たぬきのおばあちゃんに教えられたのだと思う。どうしても本人には告知しないでほしいという家族の要望が強いときでも、「がん」という言葉を使わずに、命に限りがある病気だということを気づいてもらえるように話すようにしている。

「いっしょの布団に入りたかった」

いい言葉だと思う。重い病気をかかえる夫婦のこんな思いにも、心を傾けられる医者になりたいとぼくは、今も思っている。

豊かな生と豊かな死

人から人への命のリレーを感じることがまれにある。妻の父が亡くなったとき、命のバトンタッチを感じた。七十九歳で亡くなった。がんを受け入れ悠々《ゆうゆう》と死と向かい合った義父は、初めから終わりまで見事にすべての局面で自己決定するということを見せてくれた。

ぼくは自分の命のあり方を自分で決めていくことが、大切なことだと常々思っている。自分で決めるためには、本当のことを知ることが大切だ。本当のことをお互いが隠さずいい合えること、真実を語り合えることが、生き方を選択するためにも、決定するためにもどうしても大切だと思っている。

東京に住んでいた義父、博学《ひろさと》は、お盆に諏訪湖の花火を見にきていた。そのとき、「ちょっとおなかにしこりが触れるんだけど何だろうね」と、いいだした。ぼくがおなかを触ると、卵大の腫瘍があった。あわてて、翌日、諏訪中央病院に連れていって、超音波とCT（コンピューター断層撮影法）の検査をした。肝臓がんが見つかった。すでに肝臓のなかに転移もあった。

どうしようかと思った。ぼくはほとんどすべての人に本当の話をしている。そのときも、かわいそうだから隠すのではなくて、身内だからこそきちんと話をしてあげたいと思った。そこで、まず家に電話をして、女房に「実は、おやじさんは肝臓がんで、肝内転移もある。いつものようにぼく流のやり方でちゃんと話をするけどいいか」と、断った。ぼくのやり方をよく知っている女房も「本当の話をしてあげて」と、理解してくれた。

真実を伝える

ぼくはレントゲン写真を見せながら本当の話をした。肝臓がんであること、転移があること。しばらく二人の間に沈黙が広がった。

「ぜひ、手術を受けてもらいたい。うちの病院にはフランスに留学して肝臓移植を研究していた浜口先生がいる。肝臓の手術がすごくうまいから、転移があるけど、二ついっぺんにがんは取れる。うまくいけば生きられる可能性もある」と話した。

しばらく考えていた義父は、「もういやだな」と。

どういう意味かはじめは理解できなかったが、しばらくしてこういいだした。

「七十のとき、胃がんといわれた。そのときは、君にいわれたように胃がんの手術を受けた。でももう七十六だぞ」

博学は賢明な人だったので、転移まであるんだったらそんなに無理したくないという考えだったかもしれない。ぼくは困りきった。頭のなかで何をいおうかと迷っていた。

しばらく黙っていると、博学は「手術はいやだけれど、死にたいわけではない」という。また困ったと思っていたら、「何かいい方法はないか」と聞く。

「転移まであるからそんなにいい方法はないけれど、次善の策として、どうしてもおやじさんが手術がいやなら、足の動脈から肝臓がんのところまで管を入れて、がんを兵糧《ひょうろう》攻めにする肝動脈の人工的塞栓《そくせん》術という治療がある。うちの内科の谷内先生がそれを得意にしている。それは少し効くかもしれない。だけど、もう転移があるからそんなに長くは無理だと思う」と、ぼくはいった。嘘も隠し事もなかった。

博学は「わかった、その治療ならやってもいい」っていってくれた。

治療を始めた。ぼくがなぜ本当の話を全部正直に話すことにこだわったのか。一般的には、肝臓がんだけは告知して、転移はいわないドクターが多いかもしれない。ぼくはやはり転移の話までしてよかったと思っている。なぜ転移までいったかというと、転移がなかったら多分、義父はぼくのいうとおり手術を受けてくれたのではないかと思う。素人《しろうと》ながら、肝臓がんであること、がんが転移している、転移があるということは尋常《じんじょう》な状態ではないだろうと思った博学は手術を拒否したのだと思う。

情報が正確に伝えられないかぎり、自分の命の生き方を自分でジャッジできないのではないかと思った。本当のことを伝えることは、ときにはとてもつらい。伝える側もその場から逃げ出したくなることもある。しかし、自分の生き方を自分で決めたいと思っている人には、都合のいいことだけ伝えるのではなく、すべてのことを話してあげることが本当のやさしさ、思いやりではないかと思う。大事なことは、真実をどうショックなしに伝えられるのか、そこにプロとしての能力が問われる。

奇跡が起きた

効いた。三か月に一回、東京から諏訪中央病院に来て、三日間入院して治療した。それ以外のときはゴルフをしたり、旅行をしたり、充実した時をすごして、結局三年生きた。ただ命を永らえたのではなくて、元気に生きた。充実して生きた。

人工的塞栓術の治療が終わって退院する日に、おやじは「もうこの治療を終わりにしたい」といった。子供たちも集まって大騒ぎになった。泣きながら「奇跡が起きてこんなによくなったんだから、続けて治療を受けてよ」といったが、博学は「みんなにはわからないけれど、ぼくはずいぶん弱くなったのがわかる。いずれ限りがあるだろう。最後まで自分らしくしていたいんだ。三年前君からいわれたとき、すでに転移があるので一年だってもたないだろうと思った。それが三年もった。もう充分だよ」

義父の意志は固い。このときはまだ、彼のこだわる「自分らしさ」という意味が、ぼくらにはわかっていなかった。

主治医がこういった。「お父さんがいうのはもしかしたら正しいかもしれない。ずうっと動脈に管を入れて治療して、動脈と静脈がつながって『動静脈ろう』というのができだしているので、血栓物質の薬品をつめると、その薬品が『ろう』を通してほかの血管に漏れて、がんのところに止まらずにほかの血管のところにいく。そうなると他の臓器の梗塞《こうそく》を起こしてしまう可能性がある」

本人の意志が固いので娘たちは観念した。お父さんの好きなようにさせようということになった。おやじは旅行したり、亡くなる一か月前までゴルフのコンペに出たりして、楽しくすごした。最後に一回だけ「ちょっと痛い」といって、東京から諏訪中央病院まで電車で来た。その後、主治医からＭＳコンチンという経口の麻薬の薬をもらって飲み、死ぬまでニコニコして、それ以後一度も痛いといわず、おやじさんらしく最期を迎えた。

残された時間は、博学らしく生きるために、肉体的痛みが完全にコントロールされていたことは大きな意味があった。ＷＨＯ（世界保健機関）は末期がん患者の痛みに、医療用麻薬を上手に使うことを推進している。その国の医療用麻薬の使用量と、その国の文化度は相関しているともいわれている。日本では、耐えられないような痛みに対して、「がんばれ、がんばれ」と歯をくいしばらせていることが多い。ペイン・コントロールの得意なドクターが、上手に使用すると、習慣性の心配もなく、痛みがなくなることでかえって命も長くすることができるといわれている。なによりも大切なことは、痛みをとってあげることで、その人の生活のクオリティをあげることができる。歯をくいしばってがんばらなくてよいのである。

博学は全部自分でわかっていた。がんが大きく、再発してきたというのもわかっていた。いよいよだというのもわかる。

亡くなる二週間ほど前、「どこに行きたい」と聞いたら、「安曇野《あずみの》に行きたい」という。安曇野は治療中に四回も五回も行ったことがある。「もう一回、死ぬ前に安曇野のわさび田を見ておきたい」最後に娘と二人で出かけた。美術館も見て、帰ってきた。うれしそうだった。

その数日後、ユーモアたっぷりに「いよいよだから最後に『古畑』のうなぎだけは食べておきたい」といったらしい。うなぎの好きな人だった。仕事から遅く帰ってくると、女房がボロボロ泣いている。「今日、お父さんの好物のうなぎを食べに行って、お気に入りの二段のうな重を、いつもどおりにとったら、結局ひと口しか食べられなかった。目で食べたくても食べられなくなってしまった」

おやじさんの最期が近いと娘にもわかった。亡くなる十日ほど前、家族で蓼科にドライブに行った。ユーモアのある義父は「最後のコーヒーを飲もう」なんていうので、また娘は泣いてしまう。

「そうだ、昔行った喫茶店にしよう。『銀のポスト』に行こう」と義父がいう。昔の郵便局を改造した小さなしゃれた喫茶店で、家族みんなで最後のお別れのコーヒーを飲んだ。

いよいよ亡くなる数日前、病院に入院した。

その最期のときに、彼が「自分らしくしていたい」といっていた意味がわかった。彼は最後の最後まで入れ歯の後始末を人にさせなかった。食欲のなくなった彼は、ごはんをひと口しか食べられなくなったが、だれかが苦労して作ってくれたんだからといって、感謝しながら無理してひと口でも食べる。その後、自分で入れ歯をちゃんと磨いた。ぼくらが磨いてあげるよといっても、自分のことは自分でしたいといって、最後まで自分で磨いた。

髭を剃るのも「ぼくたちがやってあげる」というと、「いや、髭は自分で剃りたい」と断る。電気カミソリで自分の髭を剃る。亡くなる数日前、肝性昏睡《かんせいこんすい》になりかかっている彼は、髭を剃りながらうとうとしてしまう。電気カミソリはウーッとうなりながら空を切る。孫が手助けしようとするとフーッと我に返って、「自分でやりたいんだ」といいながらまた彼は剃りはじめた。

亡くなる前の日まで、歩けなくなってはいけない、トイレは最後まで自分で行きたいといって、食事が終わるとベッドから出て足踏み練習をしていた。いよいよだと知っていながら、最後まで自分でトイレに行きたい、自分の髭は自分で剃っていたい。これが、彼が自分らしくしていたいということだった。やっとこのとき、彼のいう自分らしくということが理解できた。哲学的な自分らしさをもとめていたのではなく、ささやかな生活の動作の一つひとつを、最後の最後まで彼は大切にしようと思っていた。

すべてに感謝

亡くなる一年前、諏訪湖の花火のとき、画家の原田泰治《はらだたいじ》さんから桟敷《さじき》への誘いがあって、義父が花火が好きだったのでみんなで見にいった。すばらしい花火を見た後、泰治さんが「電車がすしづめ状態で混んでいるから、おすし屋で一時間ほどすごしてから帰ったら」と気配りしてくれた。そこでお酒をちょっと飲んで電車がすくのを待ち、帰るとき義父は一人で立ちあがると「こんな素晴らしい花火を見せてもらってありがとうございました。今、自分は肝臓がんと共存しています。自分はこのすばらしい花火を、来年は見られないでしょう。よい思い出ができました。どうもありがとうございました」と、みなさんにお礼を述べた。自分の命に限りがあることをきちんと理解して、世話になった人に感謝の言葉を伝えた。「お礼に歌をうたいます」とうたった。変なおやじだった。

　ぼくらの結婚式のときには『奥様お手をどうぞ』というコンチネンタル・タンゴをうたった。結婚式に嫁のおやじが歌をうたうというのも珍しいなと思っていたが、そのときと同じ歌をうたってくれた。最期だと知って、花火に誘ってくれた原田泰治さんと奥さんの治子さんに対する、それが彼のお礼だった。身振りを入れた一世一代の『奥様お手をどうぞ』だった。一九四八年、ハリウッド映画の中でビング・クロスビーが、かっこよくこのタンゴを歌う。クロスビーのタンゴよりも義父のタンゴのほうが輝いているように思えた。彼の人生の大事な節々で、彼はこの曲を好んでうたってきた。ぼくたち家族はこのとき初めて、彼の覚悟を知った。

　彼だけがクリスチャンだった。そのことをぼくらは忘れていた。ぼくら夫婦は、信心深くない普通の仏教徒。亡くなる二日前に「そろそろぼく、逝《い》くと思うけど、賛美歌をうたいたいな。でも、病院で賛美歌は縁起がよくないよな。家族で童謡でもうたおうか」といった。歌の好きな義父だった。ぼくはすぐに答えた。「おやじさんがうたいたい歌を、うたってかまわないよ」

病院の職員たちで、賛美歌をうたえる人たちが集まってくれた。内科のドクターや看護婦さんたちや患者さんたちに声をかけた。みんなで『かみとともにいまして』という賛美歌をうたった。亡くなってから牧師さんに聞くと『かみとともにいまして』という賛美歌は、自分はあの世に行く、長い旅に旅立つけれど、また、あの世でいつか会おうという彼のメッセージだったんではないかという。亡くなる二日前に、家族みんなで歌をうたって、義父はたいへんほっとした顔をした。

ぼくの長男が大学の講義があるので東京へ帰るというと、孫の手を握って「いよいよだと思う。君とはもう会えないだろうな」といった。「お父さんのいうことを聞けよ、人のためになる人間になれ、勉強しろよ」と、手を握りながらニコニコと話す。

つらい、苦しい、人の悪口をいうなどということが、不思議なことに彼には一度もなかった。「なぜおれは治らないんだ、なぜどんどん悪くなるんだ」なんて愚痴《ぐち》ることも一度もなかった。いろんな人に感謝し、常に希望を、孫やぼくら子供たちに与えつづけた。

その翌日、博学はほっとして、いよいよだといい、「風呂に入れてくれ」と娘にいった。髪の毛も背中もみんなきれいに洗ってもらい、お風呂から出るとほっとしたようだった。そのまま眠りにつくようにして、つらそうな顔も痛そうな顔もせず、その翌日亡くなった。

共鳴する死

ぼくの娘は高校三年だった。隣の町の学校に行っている娘に、ぼくは「おじいちゃんは今死んだけど、お別れしたかったらすぐタクシーに乗っておいで」と電話した。娘はタクシーに乗っている間じゅう、おじいちゃんの死を悲しんで、ボロボロ泣いていた。

数日たってから彼女はぼくに、うれしいエピソードを話してくれた。「おとうさん、人間ってすごいね。諏訪中央病院へといってから、私がタクシーのなかで泣いていたら、『おなかでも痛いの』と運転手さんがきいてくれた。『おじいちゃんが死んだの』といって泣きつづけていた。病院に着いて、お金を払って、急いで走って病院の玄関に入ろうとしたときに、タクシーの運転手さんが、遠くのほうから大きな声で、『いっぱい泣いてあげろ』って怒鳴ってくれた」という。「知らない人が『おじいちゃんのために泣いてあげろ』といってくれたのってすごいよね」そしてもう一つ、「人間が死ぬっていうことは、そんなに恐ろしいことではないね」といった。

おじいちゃんの三年半の闘病で隠し事はひとつもない。おじいちゃんがうちに来て、ご飯を食べていても病気であることをみんなが知っている。みんなが大事にする。おじいちゃんもいよいよであることを知っているから、孫たちを大事にする。隠し事がないということがとても大事なことだった。

彼は孫に「希望をもちつづける」ことの大切さを残してくれた。人の悪口をいったり、愚痴をいったりするのではなくて、肝臓がんがあるにもかかわらず、しかもそれが助からないと承知したうえで、いつも希望をもちつづけていた。がんのことを知ってから、彼は東京で自分の家の駅前の道の掃除をするのを日課にした。

亡くなった後、義父、博学の町で、お通夜の準備に疲れたぼくと娘は、息抜きに抜け出して、町の喫茶店へ入った。そこで偶然、博学の話題になった。

マスターが「今日、博学さんのお通夜だ」という。

カウンターの客は「博学さんって誰だっけ」と聞く。

マスターは「駅前を毎日、毎日掃除してくれているおじさんだよ」と答える。名前をいってもわからないが、「お掃除のおじさん」といえば、この町の人はみんな知ってるよ、といってくれた。

黙って聞き耳をたてていたぼくと娘の心に、うれしい思いがこみあげてきた。死を意識しながらも、おじいちゃんは人の役に立ちたいと希望をもっていた。孫たちはそういうおじいちゃんの生き方を見てきた。

「バーチャル・リアリティ」という言葉をよく聞く。現実からはなれて安易に子どもが命を粗末にしたり、人を殺したりする時代になったが、それはぼくたち大人の責任だと思う。大人たちが誠実に、一人ひとり希望をもってきちんと生きていることを、子供たちに見せてあげることが大切だ。おじいちゃんから孫へ、見事な命のリレーがおこなわれたように思える。

脳死が認められて、臓器移植がおこなわれた。臓器移植がおこなわれるようになって、亡くなる直前まで動いていた心臓が、ある違う方に受け継がれていく。これを「命のリレー」とマスコミは大きくとりあげてはしゃいでいた。たしかに、そのとおりだとは思うが、命のリレーは心臓と心臓をやりとりするときにだけあるかというと、決してそうではないのではないかという気がしてならない。命に限りがある以上、命のあり方を伝えていくことのほうが大切ではないかとぼくは思っている。

生も死も自分でデザインを

医療は今まで医師が絶大な権限をもって、患者さんそれぞれの生き方まで決めることがあった。しかし、そういうお任せ医療はもう時代おくれだ。自分の体に起きたことをよく知りながら、自分で自分のことを決めていく、自分の人生を自分色に染めて、デザインしていくということが大事だと思う。

人間の疾病《しっぺい》を部品の故障と考えたデカルトという哲学者がいたが、どうもその哲学者が活躍しだした頃から、医学や科学は人間の体を分解して、いろいろなものを部品と見る考え方をしてきたようだ。ぼくはデカルト的な考え方に対抗して、諏訪中央病院の医療づくりをおこなってきた。臓器だけにこだわらず、疾病をかかえる人間、家族、地域に思いを注ぐ医療をおこなってきた。

どこか具合が悪いところ、たとえば心臓が悪ければ心臓だけを治療しても、本当の癒しにはならない。本当の癒しになるためには、心臓をもっているその丸ごとの人、あるいはその人といっしょに生活している家族まで、あるいはその家族が生活している地域まで見て、本当に癒すということが完成するのではないかと思う。

二十一世紀に心の時代がほんとうに来るのだとすれば、医療とか福祉が、もっとそれぞれが生きてきた歴史、それぞれの人の生きてきた意味を尊重し、一人ひとりの人間の全体に目を向けることが大切だと思う。魂に、あるいは存在の意味に目を向けるように心を配っていきたい。医療を受ける立場の人も、これからは、それぞれが自分の命は自分で決め、自分流の生き方にこだわるように意識を変えていくことが大切だと思った。医療の提供側はもっとやさしくなるように努力し、医療を受ける側は、感謝という言葉を忘れないようにしたい。博学という一人の人間の生き方をとおして、ぼくたちはたくさんのことを学んだ。

たくさんの人が博学に東京から会いにきてくれた。そのたびに彼は元気になった。一人ひとりに丁寧《ていねい》にお別れをし、感謝の気持ちを伝えた。ゴールデンウィークの頃だった。この年の冬は雪が多く、いつもの年より桜が咲くのは遅かった。

亡くなる一週間ほど前、茅野市のスポーツ公園の桜並木が満開になった。義父に聞くと、桜を見たいというので、東京から来ていた子供たちといっしょに車椅子でお花見に行った。食事がとれなくなっていた義父は、アイスクリームを食べながら最後のお花見をした。

見事な生き様を見せてもらった。すべてのことを承知しながら、残された時間をゆうゆうと楽しみ、まわりのもの一人ひとりに感謝し、家族に言い残す言葉をすべて語り、最後の最後まで自分の力で歩きつづける努力をし、最後のコーヒーを家族とともに飲み、大好物のうなぎをひと口だけ食べ、安曇野の美術館を見て、家族みんなで歌をうたい、ぼくらにねぎらいの言葉を遺《のこ》してこの世とおさらばしていった。

彼が最後にろうろうとうたった『かみともにいまして』の声が耳に残っている。信じられないことだが、所々で博学の声は途切れるが、実にろうろうとうたいあげた。見事におやじらしかった。自然に感謝し、お世話になった方に感謝し、生かされてきた七十九年間の人生を歓び、家族には、「ちょっと先にあの世に行ってるよ、あっちで待っているからね、みんなでまた歌をうたおう、楽しかったよ。ありがとう」といった。

それが博学のメッセージだったように思う。妻のネッカチーフをいつも首に巻いて、七十九歳とは思えないおしゃれな人だったが、感心するのは身だしなみのおしゃれでなく、もっと深いところで、人生の生き方や選択の一つひとつに義父流のおしゃれのこだわりを感じた。

車椅子からみごとな桜に見とれる博学の肩に、ハラハラと桜の花びらが落ちてきた。忘れられない美しい光景になった。まるで時間が止まっているようだった。

友情スターマイン

八月、蓼科の夏はどこまでもつづく青い空と、深い緑の森がフィトンチッド（樹木から放散され周囲の微生物などを殺す物資。森林浴の効用の源とされる）を溢《あふ》れさせ、八ヶ岳の山裾に住むぼくらの心を穏やかにしてくれる。茅野市では二〇六〇メートルの夏沢《なつざわ》鉱泉に、これまで軽油で動いていた自家発電機を止めて、太陽光と風力と水力という自然エネルギーを活用して、合併処理浄化槽による水洗トイレと、「山の灯台」をつくった。吹雪や大雨や夜間でも、山小屋の灯火が見えれば遭難の悲劇を少しは減らすことができるかもしれない。これから茅野の山小屋では、富士山の山小屋のようにアンモニアの臭いにおおわれることなく、フィトンチッドを肺いっぱいに遠慮なく吸い込むことができるようになる。環境や人命を大切にしようとする町全体の考えがうれしい。

諏訪に原田泰治というふしぎな画家がいる。お互いなんとなく気が合って、兄弟づきあいをするようになった。一九九〇年の夏、アメリカにいる泰ちゃんから電話が入った。「次《つぎ》さんどうかかな。俺が帰るまでなんとかもたしてくれ」

泰ちゃんはその前年、アメリカ五大都市で『原田泰治展』を成功させ、その後の整理のために渡米をしていた。

次さんはカラコルム山脈のウルタールII峰の偵察隊長を務めたり、またサイパンの岩壁洞窟の戦没者約二千柱の遺骨収集の隊長として活躍してきた。諏訪では山男として有名な男だが、普段は看板屋の手伝いをする、あまり目立たない酒好きの気のいいおじさんである。

その次さんに進行性胃がんが見つかった。すでに膵臓《すいぞう》まで転移しており、もう手遅れ状態だった。手術はしたが、半年でがん性腹膜炎による腸閉塞《ちょうへいそく》が起きて、再入院していた。

泰ちゃんは一九八二年四月から二年半にわたって、朝日新聞の日曜版のフロントページを飾った『原田泰治の世界』でどんどん有名になり、国内の展覧会でも多くのファンを引きつけ、ヨーロッパやアメリカで大きな個展をするようになった。そんなときのオープニング・パーティや、出版パーティに、必ず次さんは招待されていた。著名人のあいだに、田舎の看板屋のおやじがいた。不思議な光景だった。

二人が仲の良い友達同士ということはわかっていたけれど、それにしてもアメリカから毎日、次さんのことで電話がくるのをふしぎに思った。

「何で次さんのこと、そんなに気になるの」と聞くと、泰ちゃんはポツリポツリと答えた。

冬、雪が降ると信州では明け方に子供たちが学校へ行くための歩道の雪かきが始まる。泰ちゃんは小児麻痺を患《わずら》った後遺症で、雪かきができない。大雪が降ったある朝、泰ちゃんの家の前の雪はきれいに払われていた。それから、雪が降った朝はいつも、彼の家の前だけはきれいに雪が払われていた。ふしぎに思った泰ちゃんが、夜明け前からカーテン越しに窓を覗《のぞ》いていると、夜明け前のいちばん闇が深いときに次さんがやってきて、道路の雪をサクッサクッときれいに払っていった。善意の主が次さんであることを初めて知った。次さんは雪かきがすむと足早に帰っていった。泰ちゃんと会ったときも、次さんはひと言も雪かきの話はしなかった。

泰ちゃんも次さんの思いを感じてか、知らんふりをしているらしい。何も言い出さない男同士の友情もいいものである。泰ちゃんは口には出さないが、次さんへの感謝の気持ちを心に留めていたのだ。

次さんは一時期抗がん剤が効いて、腸閉塞が解除され、少し元気になった。

毎年八月十五日、諏訪市じゅうが花火見物客で溢れかえる。人口五万三千の諏訪市に、約五十万人の花火見物客が集まる。湖水に映し出される夏の花火が美しい。山に囲まれた地形が大音響を生み、臨場感を盛りあげる。諏訪湖花火の名物、キッス・オブ・ファイアは、特大水上スターマインが湖上の両端から打ち上げられ、息もつけないほど次々にスターマインが炸裂《さくれつ》し、湖上の中央部へ向かい、最後に二つの特大スターマインが合体をする。印象派の名画を見ているような錯覚におちいる。

泰ちゃんは遊び仲間に呼びかけ、小康《しょうこう》を取り戻した次さんに、みんなと一緒に諏訪の花火を見てもらおうと思った。当日、仲間たちが酒と肴《さかな》をたずさえて集まり、泰ちゃんの桟敷はいっぱいになってきたが、みんな次さんの座る席を空けて待っていた。道路は立錐《りっすい》の余地もなくなった。しかしとうとう最後まで、人をかき分けながらやってくる次さんの姿は見られなかった。

泰ちゃんが浮かない顔をしている。今回の花火大会だけは、泰ちゃんにとって次さんが主役だったのだ。諏訪湖の端から端までのナイアガラと、湖上スターマインのフィナーレが終わると、いつもみんなが集まる「徳八」というそば屋さんに行って、次さんが来るのを待った。

お酒が入ってみんなで盛り上がっていると、十時頃、次さんの家から電話がかかってきた。次さんが苦しがっていると、奥さんの慌《あわ》てた声が聞こえる。どの路地も車でいっぱいで動けない。泰ちゃんは自転車で、ぼくは走って次さんの家へ向かった。次さんは人生最後の花火を、奥さんと二人で自分の家の二階から眺めた。そして、急におなかが痛くなったようだ。がん性腹膜炎が再び腸閉塞を起こしはじめているようである。

救急車を呼んだ。家族とぼくが救急車に乗り込み、次さんを病院に運んだ。

それから二か月後の十月二十八日、「泰ちゃんの家の前の雪かきをしていたのは俺だよ」のひと言を最後まで伝えず、次さんは安らかにあの世に逝った。手を合わせる泰ちゃんの「ありがとう」のつぶやきが、横にいるぼくの耳奥に聞こえたような気がした。次さん、泰ちゃんの声聞こえましたか？

「ありがとう」のひと言は、湖上スターマインのように、夜空に一瞬、美しく輝き、そして消えた。

夢に出てきた人と最後の晩餐《ばんさん》

今から四年前の話である。「胃がもたれる。食欲がない。体重が急激に減った」と、七十六歳のもみじさんがぼくの外来にやってきた。初診である。五十八キロの体重が四十キロにやせてきた。おなかを診察すると、大きな腫瘍が触れた。十五年ほど前に他の病院で乳がんの手術をしていた。

もみじさんは、自分はひとり暮らしなので、自分に病気のことは隠さずにきちんと話をしてほしい。東京にいる息子にも心配しないようによく説明してほしい。苦しんだりしないようにしてほしいと、いくつかの希望をはっきりと述べた。

入院して検査をすると、乳がんの再発で肺や腹腔《ふくくう》への転移があった。がん性腹膜炎になっており、ときどき、腹水穿刺《せんし》が必要だった。

やさしい息子夫婦からは、母親をできるだけ家で看てあげたいと希望が出された。

もみじさんは病院と自宅の選択のなかで揺れていたが、試験的な外泊をくり返すうちに、自宅で生活できそうだと実感をもったらしい、「やっぱり家がいい」と自分で決めた。

家に帰ると、本来の明るさと、言い出すと自分の主張を曲げない頑固《がんこ》な一面がしっかりと出てきた。息子夫婦が東京から看病に帰ってきてくれるのはうれしい反面、彼女にとっては申し訳ないという複雑な思いがあった。

状態が安定すると、「かあさんはそりゃあ親切に面倒みてくれる。孫がやさしいんだよ。私は幸せだね」と、お嫁さんのことを、かあさん、かあさんと甘える。そのすぐ後に「家族に迷惑をかけてしまって。いつまでもこんなでいいのかねえ。早く死にたいよ」と、明るくまわりを思いやる。徐々にではあるが「面倒をかける」とか、「すまない」という思いから、単純に素直に、そして揺れながら、「ありがとう」に変わりだしていった。

村の人気者のもみじさんにとって、見舞い客が多すぎて困ることもあった。茶飲み友達が集まり、家のなかには笑いがたえなかった。そんななかで、もみじさんはアルバムをもってくるようにいった。「ふっくらした頃の写真がいいなあ」と、笑顔の写真を取り出して、葬式用の写真にしてくれと頼んだ。

訪問看護の実習中の看護学生から体を拭いてもらうと、「私は自分の家にこうしていられて、みんなによくしてもらえて幸せ」と目をうるませて話す。

亡くなる十日前、「たくさんの知り合いの夢をみた」ともみじさんがいった。息子さんたちは別れの日が近いのだと感じた。もみじさんの夢に登場した人たちに声をかけて集まってもらい、自宅で小さなパーティを開いた。最後の晩餐になった。

この集まりを境に、いよいよもみじさんの衰弱は強くなっていった。亡くなる三日前、主治医の平方《ひらかた》先生が息子さん夫婦や妹さんに、いよいよであることを説明した後、本人にも丁寧に話をした。

「今まで厳しいところを何回ものり越えてきましたが、今回のり切れるかどうかはわかりません。のりきれない場合はおしまいになってしまうことになりますが、これ以上無理はしません。後は、もみじさんの体にまかせます。でも苦しくならないようにだけは充分に気をつけるよ」

もみじさんは静かにうなずいた。それから二日後、もみじさんは荒い呼吸になったり、無呼吸になったりするチェーンストークス呼吸におちいった。亡くなる前日、主治医が呼ばれた。荒い呼吸のなかで意識はうすれていった。ドクターが塩酸モルヒネを上手に使うと、呼吸が安定し、意識が少し戻ってきた。

「こんな夜中に、先生を呼んでしまってすみません」ひと言だけ話すと、またもみじさんの意識は遠くなっていった。

ドクターは二日前にしたもみじさんとの約束を守るために、最期のひと呼吸まで楽にしてあげようと心をくだく。時々大きな声で呼びかけると、眼を開ける。ドクターや家族が「みんないるよ」というと、もみじさんはうなずいて、また安心したように深い眠りに入っていった。

何回かのくり返しをしているうち、昼間の仕事の疲れが出たドクターは隣の部屋でお茶を飲んでいるうちに、うたた寝をしてしまった。ハッと目を覚ましたら、布団が敷かれて寝ていた。熟睡していて移されたこともわからなかった。

「先生、先生」と揺り起こされて起きたら、朝ごはんが用意されていた。「病院に行かなきゃ院長に怒られるよ」といわれ、その家から出勤してきた。

この報告を受けたとき、ぼくは笑ってしまった。そして、うれしかった。ぼくもうれしかったが、もみじさんと家族はもっとうれしかっただろうなあと思った。

小さな村だ、諏訪中央病院の医者が泊まっていったとすぐに伝わる。具合が悪いときに泊まってくれる医者なんて、めったにいない。偶然うたた寝しただけだったとしても、「お医者さんが、うちのばあちゃんのために泊まっていってくれた。ひと晩ついていてくれた」もみじさんはうれしかったと思う。

先生がひと晩じゅうばあちゃんを診てくれ、朝ごはんを食べていってくれたのも家族にとってはうれしかっただろう。

患者さんの家で朝食を食べさせてもらったことは彼の勲章《くんしょう》だと思った。丁寧に本当の話をして「でも、いつもそばにいるからね、つらい思いはさせないよ」と約束をし、その約束を守るとき、本当の信頼が生まれるのだろう。ドクターに用意された温かなごはんと味噌汁は、あふれるような家族の感謝の気持ちがいっぱいに盛り込まれていたように思った。

患者が来ない病院

病院はつぶれかけていた

二十六年前、諏訪《すわ》中央病院は累積《るいせき》赤字が当時で四億円、いつつぶれてもおかしくない病院だった。

夜の七時頃、赴任《ふにん》のために初めて茅野《ちの》駅に降りると、駅前の灯りはなにもなく、「カレーホール」という食堂に一軒だけ電気が灯っていて、えらいところに来たなあと思った。タクシーに乗り「諏訪中央病院へ」といったら、運転手がけげんな顔をして「聞いたことないなあ、お客さん、諏訪っていうんだから上諏訪駅でおりなくちゃいけなかったんじゃないか、間違いじゃないか」といわれた。ショックだった。不安が走った。赴任の前に一回見ておけばよかった。失敗したと思った。医者がいなくて困っているといわれ、それならちょっと応援するかくらいの軽い気持ちが後悔に変わりかけた。運転手さんが調べてくれて行ってみたら、本当に幽霊の出そうな汚くて小さな病院だった。

旅立ち

お医者さんがいなくて困っている。学生運動をしていた仲間たちから、行ってくれないかという話があった。今まで東京のある大学の関連病院だったけれど、医療機器がなにもないので、大学から医師を送ってもらえなくなっていた。市長さんが何度も東京にお医者さんを探しにきた。学生運動のやりすぎなんか気にしない、今まで何をしてきたかは問題ではなくて、自分たちの地域の人たちや、農村のお年寄りを大事にしてくれるお医者さんに来てほしいといってくれた。

学生運動で逮捕歴があっても、医者ならだれでもよかったのだと思う。そのくらい、喉《のど》から手が出るほど医者が欲しかったらしい。学生運動をやっていた連中も、卒業すると多くの人たちは結局、大学に残って安全な道を行く。そんななかで、一人くらいいっていたことをそのまま自分の生き方にしつづけたいと思った。学生運動のなかでよく使われた言葉に自己否定という言葉があった。この言葉を忘れて、偉くなっていくことを中心に考える人間になりたくなかった。自己否定という言葉を自分のよりどころに、お医者さんがいなくて困っている信州の農村へ出て、田舎医者になるのは自分の生き方に合ってると思った。

ぼくが茅野へ行こうと思ったときに、同級生や先輩の人たちが負け戦《いくさ》になるから、地方へ出ないほうがいいといってくれた。医者の世界ではそうだったのかもしれない。ぼくの家は、親が医者でなかったので本流の生き方がどういうものか知らなかった。本流路線を踏みはずすということに関して、あまり怖いという感じは正直なかった。本流から離れる怖さがよくわかっていなかった。なによりもうれしかったのは、来てほしいと請われるところへ行けるということだった。

病院は茅野市と諏訪市と原村の二市一村の公立組合で運営されていた。田舎では、よく消防署とか火葬場が共同で組合をつくって運営されている。ぼくらの病院もその一つだ。

一九七四年、ぼくは二十五歳だった。女房はいやがった。父親には、なんでおまえが田舎に行かなければいけないんだ、大事なのはこれからじゃないかといわれた。一年だけ行かせてくれと説得した。実際は自分のなかでは一年にこだわっていなかった。大学から派遣されるのではないから、一年という約束があるわけでもなかった。結局ぼくの心を動かしたのは、医者がいなくて困っているということだった。行ったときは内科と外科だけで、医者は四人だけだった。しかしすごく優秀な先生たちだった。

本当に医療機器はなにもなかった。救急車にのせられ、ショックで血圧が測れないような状態で運ばれてきた初めて診《み》る患者さんに対し、レントゲン写真一枚で、肝臓がんが腹腔《ふくくう》内へ破裂して、出血性ショックを起こして血圧が計れなくなっていると診断した。現在のように、あふれるほどのたくさんの検査機器に囲まれて診断をするのではなく、丁寧《ていねい》な触診と聴診とレントゲンの一枚の写真から、よく正確な診断をしたものだと思う。今、おなかを開けなければ助からないと、外科も内科も全員で手術室に入って、手押しで輸血しながら、朝までかかって手術を成功させた。今から二十六年前、大病院でもあまりやってなかった緊急の肝臓がんの切除を成功させて救命した。オンボロ病院だけど、すごい医者が集まってるなあと思った。

東大から外科の先生が三人、信州大学から内科の先生が一人、あわせて四人でやっていた。そこへ東京医科歯科大学を卒業したぼくが行った。出身大学の違う混成部隊ができた。田舎のオンボロ病院だが、大学の垣根がなくなって、自由な空気がただよっていた。よい医療をするという競争意識も強かった。

チームのなかに高田信行という超一流の外科医がいた。外科の先生たちがいつも内科的な意識をもっていたので、手術がうまいだけではなくて、診断を下すまでの考え方が徹底的に丁寧で、いくつかの病気を頭のなかできちっと整理して、そのなかの病気のひとつひとつを否定しながら、ひとつの答えを見つけていく。ぼくは内科医だが、手術を必要とする病気を見つけたときは、いっしょに手術室に入れられて、手術の介助をさせられた。自分が診断した胃がんや盲腸の病気が、実際自分の頭で描いていたものと、血液の状態やおなかを触って得たデータと、おなかを開けてみてどう合致するかという訓練を繰り返しさせられた。すごい人たちで、手術すると何日も家に帰らないで、いつも患者さんのそばにいた。暇だったということもあるけれど、一日四回くらい回診をしていた。

さらに病院は落ちぶれていった

しかし、しかしである。情熱をもった医者が集まったが、患者はますます来なくなった。不思議なことにいよいよさびれていった。「鎌田の髭が汚いから、患者が来ないんだ」とか「今井澄《いまいきよし》の頭が、若いのにハゲているのがいけない」とか訳のわからない論戦が始まった。

病院をよくしたいと、熱い思いをもった若い医者たちは一歩まちがえると、連合赤軍の内ゲバのように凄惨《せいさん》な崩壊の一歩手前にいた。東大闘争の行動隊長の今井澄に粛《しゅく》清《せい》されなくてよかったと思っている。ぼくたちはまだ若かった。今だったらもっとゆっくり住民の信頼を得ていくと思うが、せっかちで頭でっかちだった。

ぼくらは東京で、子供に筋肉注射をしすぎて、おしりや大腿《だいたい》の筋肉が萎縮《いしゅく》して歩けなくなる大腿四頭筋拘縮症《しとうきんこうしゅくしょう》の医療公害闘争にも関わっていた。なるべく注射をしない、できるだけ薬は出さない、という医療を徹底的にした。患者さんはますます減っていった。しかしぼくたち医者はなぜ患者さんがどんどん減っていくのか、わからなかった。ここへ来れば、注射がしてもらえ、薬が山のようにもらえるのを楽しみに、お年寄りが集まってきていた。それをぼくたちは、お年寄りの楽しみの注射を、しないほうがいいと頑固にこだわっていたのだ。毎年赤字が出て、病院の財政は傾いていた。テコ入れに市長さんがぼくたちを呼んで、医者を代えたのだが、もっと患者が減ってしまった。

半年くらいやっているうちに、今度来た先生たちは今までの先生たちとは違うということに、まず保健婦さんたちが気づきはじめた。外来で、先生たちは注射や薬を出さないで、そのかわりに、生活の仕方についてとか、塩分を減らすようにとか、規則正しい生活をしようとか、時間をかけて、患者さんたちに話してくれる。

その頃は、野沢菜を山盛り食べるというのが当たり前で、こうしなければ農業で汗水たらして仕事なんかできないと思い込んでいた。そこへ野沢菜を減らせとかいう話を一生懸命するから、変な若造たちだと思われたのだろう。これまでの先生は診察もせず、「はい注射」、「はい薬」と、なんでも好きなようにやらせてくれていたのが、注射というと、お説教され、注射はいけないといわれる。そして薬も減らされ、塩分も減らせなんて、よけいなお世話を焼かれると、愚痴《ぐち》をこぼしていたようだ。

保健婦さんたちが患者さんたちに、それはいいことではないかと説明してくれた。その保健婦さんたちが、今度集落で寄り合いがある、三十分時間をつくってあげるから、脳卒中の話をしませんかと声をかけてくれた。いくら自分たちが正しいと思って、自分たち流の医療を押しつけても、ここで何十年かつづけてきた生活のスタイルを、お年寄りはなかなか変えられない。第三者の保健婦さんが、今度来た先生たちは間違ったことはいってないよ、と話してくれたのはありがたかった。保健婦さんがぼくらを地域へ引っ張り出してくれた。

ぼくたちは大学で学んだことと全然違うことを、地域に出て学んだ。長野県はそのころ秋田県に次いで二番目に脳卒中が多く、なかでも茅野市は長野県に十七ある市のなかでは、いちばん脳卒中の死亡率が高かった。偶然に、脳卒中の死亡率が高い市へ、ぼくらは赴任していた。保健婦さんたちも何とかしなければと思っていたところらしい。今度来た若い先生たちは、一年で東京へ帰ってしまう先生ではなくて、どうも目が輝いている人たちだと、保健婦さんたちは思ったという。

そこから諏訪中央病院の新しい歴史が始まった。諏訪中央病院がちょっと変わった病院として発展できたのは、地域から見放された、患者が来ない病院からスタートして、医者はみな地域へ出て、地域で学ぶところから始めることができたのが幸いしたと思う。手応えが出始めるのに二、三年かかった。それまでは悲しいことの連続だった。

初めて早期がんを見つけたときのことだった。今では、早期胃がんを見つけることはそんなにむずかしいことではなくて、諏訪中央病院でも年間三十人近く早期胃がんを見つける。しかし今から二十五年くらい前は、早期胃がんを見つけるのはけっこう大変なことで、消化器専門の医者にとってみれば、ちょっとうれしい、ちょっと自慢のことだった。

患者さんの家族を呼んで、がんが見つかったという説明をした。外科医が優秀だったので、こちらとしては完璧《かんぺき》に治してあげられると思って、「よかったですね、来週手術しますから助かりますよ」といった。

患者さんの家族も「ありがとうございます、よろしくお願いします」といったにもかかわらず、翌朝その患者さんの枕元に行って診察しようとしたら、いない。患者が消えている。夜逃げしていた。

ベッドがきれいになっているから、おかしいなと思ったら、枕元に手紙が置かれていた。病気を見つけていただいてありがとうございます、感謝します。手術は別の病院でやります、と。自分の心のなかでは一生の仕事になるかもしれない、そうなってもいいぐらいに思って来た土地なのに悲しかった。

信頼されない状態は長くつづいた。外来の患者もなかなか増えなかった。二人診るともうお茶になる。お茶の時間が長くて、外来の日にはお茶でおなかがふくれた。情熱をもって来たけれど、情熱を吐き出す場所がなかった。もともと赤字に苦しんでいる自治体運営の病院だったが、さらに赤字は雪だるまのようにふくらんだ。

県庁から帰ってきた事務長が泣いている。悔《くや》し涙を流している。赤字病院を立て直そうと彼は必死だった。医局のドクターたちの意向を受け、診療に必要な医療機器を購入して、ささやかながら病院の近代化を図ろうとした。高速道路のなかった頃、片道二時間半かけて、県庁にお金を借りられるかを相談に行って帰ってきた。その模様を報告しながら、途中からボロボロ涙がこぼれてくる。

「お金をいくらかけても、ダメな病院はどうせダメなんだから、早くつぶしてしまったほうが市民のためだ」と、ひどいことをいわれたという。経営努力が足りないと怒《ど》鳴《な》られて、お金を借りられず、補助ももらえず帰ってきたそうだ。落ちるところまで落ちた病院を浮上させることは、本当に大変なことだと思った。

何年かたって少しだけ立ち直りを見せた頃、この事務長が酒を飲みながら、「村で生活していても恥ずかしかった。諏訪中央病院で働いているというのがいえなくて、村の集まりがあっても小さくなっていた。ゴクツブシの病院と思われていたのでつらくて。あの先生に診てもらいたいから、ひと言よろしく、なーんて頼まれたことは一度もなかった」といって、また目を真っ赤にした。

病院運営には厳しい事務長だったが、泣き上戸《じょうご》なのだ。職員の給料も銀行から一時借り入れしないと払えない。借金が多くて、銀行がもう貸してくれないという噂《うわさ》が走った。今月は給料が出ないなどというデマが飛ぶような病院だった。実に見事に落ちぶれた病院だった。

地域へ出る

それでも、しだいにぼくたちは地域の人や保健婦さんたちによって成長させられていった。それだけではなく、いい相互関係が成り立ってきた。ぼくたちは住民の意識改革をするし、住民によってぼくたちは変えられていく。この茅野市は生涯教育が盛んな地域で、九十三の公民館の分館がある。とにかく全部まわろうと思い、年間八十回、夜、仕事が終わると、保健婦さんたちと公民館を訪ねた。おかげでだんだん住民と理解しあえるようになった。

薬で治すというだけではない医療もある。意識改革をしながら、自分たちの生活をもう一回見直していくことで健康を回復していく医療もある。そのことを学び、実践し、今では日本有数の長寿地域でありながら、医療費が低い、魔法の病院と木やテレビでいわれるまでになった。

茅野市には保健補導員というヘルスボランティアが三百人いて、保健婦さんたちといっしょに健康について学ぶ組織がある。保健補導員をやったことのある経験者が六千人、この町にいる。五万三千人の市民のなかに六千人も、命の勉強をした人がいる。この人たちは病院のオンブズマンとして、病院はこうあるべきだ、こうしてほしいと意見を出してくれる。このヘルスボランティアの声にぼくたちは耳をかたむける。

医療に完璧はありえない。すべての人を救うことはできない。どんなに努力してもよい結果が出ないこともある。医療がよい結果を出せないとき、軌道修正ができるツールがあるかどうかということが大切である。この病院、この地域にはそのツールがある。それは住民と病院がそれぞれ危機的な状況を乗り越えて信頼関係をつくったということが大きい。

驚いたことに、市街化地域の駅周辺の地区と、八ヶ岳山麓《さんろく》の純農村地帯で比べると、山側の人が一日五グラムくらい多く塩分を摂取していた。二月の厳寒期に、老人の部屋の室温を調査してみると、山側の人たちのほうが、五度くらい低い温度のなかで生活している。なかでも驚いたのは脳卒中を起こし、冷たくなって発見されているお年寄りがいたことだ。

どうしてなのかと聞くと、外のトイレへ行く途中で倒れている。その頃はトイレが外にしかない農家もまだあったが、多くの家では家のなかにもトイレを作っていた。それでもお年寄りは昔流に、外にあるトイレに愛着をもっていて、外に行きたがった。

今流のいい方をすれば、マイ・トイレだったのだろう。生活の仕方を変えていかないといけないと思った。薬を飲んでいてもこれではしょうがない。医療は生活を見るところからしか始まらないと思った。一室暖房運動や減塩運動をして脳卒中を減らしていった。見事な効果を示した。

もうひとつの驚きは、胆石《たんせき》で何人かが死んだことだった。胆石が総胆管に詰まって黄疸《おうだん》になっても、気がつかず働いているうちに、細菌が血管のなかに入って全身をまわり、敗血症になって、血圧が下がってから病院に来る。今だったらいろんな管を入れて、まず黄疸を減らしてから手術ができるけれど、その頃は内科的減黄術ができなかった。

しかし二十六年前でも胆石で東京の人が死ぬことはまずない。なぜ、茅野では胆石で死ぬのか。ここでは、「しゃくやみ」とか胃けいれんという表現をしていて、キリキリと痛んでもちょっと我慢すれば治る。治るとまた働く。そのくり返しで病院に来ない。そのうちに、完全に石が総胆管に詰まって黄疸になり、ショック状態になって病院に来るので、助けられない。東京の人はこんな病気で死なないのに、ここではこんな簡単な病気で死ぬ。それは驚きであり、衝撃であった。胆石という病気は、早く来てくれれば治せる病気だから、住民に胆石という病気がどういう病気かわかってもらうしかないと思った。まず胆石のスライドを作って村々をまわり、健康学習会をおこなった。健康についての意識改革が始まった。

その次に脳卒中の撲滅《ぼくめつ》運動にとりかかった。地域に出て予防活動を始めると、脳卒中で倒れる人を劇的に減らすことはできたが、どんなにがんばってもゼロにすることはできない。

生きるか死ぬかのとき、頼りになる病院

そこで脳外科を開設して、救命率を上げた。新しい治療法もすぐに導入する。クモ膜下出血を起こす脳動脈瘤《のうどうみゃくりゅう》を手術をせずに、カテーテルで治すコイリング治療をおこなえるようにした。地域に心臓病が増えると、心臓外科も開設した。

循環器内科がカテーテルで冠動脈の狭窄《きょうさく》部を風船で拡張したり、ステントという金属の管を、手術でない方法で挿入したり、冠動脈の閉塞《へいそく》を治す最先端の治療も、二十四時間いつでもできるようにした。心筋梗塞《しんきんこうそく》の救命率が驚異的に上がった。治って退院するまでに今まで四十日ほどかかっていたものが、早い人で一週間で社会復帰し、平均在院日数は二週間以内になった。新しい治療法をいち早く導入して、救命率を上げ、痛くない方法で早く治し、医療費が少しでも安くすむように心がけてきた。

消化器内科がカメラで胃がんを切除するために、当院の細川医師が、内視鏡の先端でがんを切除できる細川ナイフを考案した。広範な早期がんが、痛くなく、内視鏡で

切除できるようになった。心臓外科が心臓を止めて手術する間、命を守るまったく新しいタイプの、ノン・ローラー型の人工心肺も当院で開発、地元の野村工業が製造し、世界企業のメドロニックが世界で販売をする。また新しい医療機器の開発のため、病院のなかに医療介護機器研究室がつくられている。カメラやカテーテルで治療するやわらかな治療を充実させつつ、腕のよい整形外科や外科、脳外科、泌尿器科《ひにょうき》、産婦人科、耳鼻科、眼科、皮膚科など、優秀な外科系の医師を集めてきた。漢方治療などオルタナティブな医療(代替治療)を好む人々のために、富山医科薬科大学の和漢診療部から二名の漢方の専門医を送ってもらい、東洋医学センターも開設している。

助からないときは悲しいけれど、最後まであたたかく見てもらいたい。夜中でも先生が家まで来てくれると安心する。多くの人は、普通の病気にかかったとき、丁寧に親切によく説明してもらいたいと思っている。できたら生活指導までしてもらいたい。なおかつ救急医療や高度医療が充実していてほしい。あの病院へ行けば助かるということが重要だと思う。

病院なのに、医者や看護婦がやさしいというだけで病院が成り立つだろうか。生きるか死ぬかのときに、治してくれなければ病院は見向きもされなくなる。地域に必要な新しい治療法はまっ先に導入したいと思って、病院づくりをしてきた。ぼくらの病院は救急や高度医療に取り組みつつ、二十六年前にぼくたちが地域に入って取り組んだことを忘れないで、地域のことを常に見つめつづける医療をおこなっていこうと思っている。

日本人は明治以後の近代化の成功によって、西洋合理主義の、自然と人間は対立するものという考え方のうえに立って、自然や病気は征服する対象として考えるようになった。二十世紀に、ペニシリンという抗生物質ができたとき、人類は細菌との闘いに勝てる、感染症は征服できると思った。しかし細菌は次々に形を変え、耐性菌《たいせいきん》となり、人間に復讐《ふくしゆう》をしかけてきている。自然や病気を、征服する対象と短絡しない思想が、必要なのかもしれない。西洋文化が入ってこなかったかつての日本では、自然と人間は対立するものではなく、自然と人間は一体であった。人間と病気の関係も対立するものではなく、共存する関係であった時代がある。

無病の祈り

日本では昔から病気をなだめたり、病気をまつりあげたりしてきた。疱瘡《ほうそう》祭、コレラ祭はそれぞれの病気が流行すると、村々でおこなわれた。祇園《ぎおん》祭の山鉾《やまぼこ》の行列も、疫病《えきびよう》を鎮《しず》めるためにおこなわれたという。はだか祭として有名な岩手県黒石寺《こくせきじ》の蘇《そ》民《みん》祭も除疫を願っておこなわれる。京都のやすらい祭、各地でおこなわれる節分祭の鬼退治も疫病封じといわれている。神経免疫学的にいえば、祭りには民衆のエネルギーを高め、自然治癒《ちゆ》力を高め、共同体で病を防いだり、癒《いや》したりするパワーがあるように思う。

ヨハン・ホイジンガーは、人間をホモ・ルーデンス、「遊ぶ人」と呼んだ。遊びを人間の本質といおうとしたのだろう。祭りは共同体が取り組む最高の遊びである。

御柱祭《おんばしらさい》は七年目ごとに、諏訪大社、上社の本宮と前宮、下社の春宮と秋宮の四つの神社に、それぞれの御神木《ごしんぼく》を四本ずつ、合計十六本の丸太を八ヶ岳山麓から、氏子たちが人力で曳行《えいこう》奉仕をする単純な祭りである。平安時代からの記録が残っているが、縄文時代にあった巨木信仰から始まっているともいわれている。諏訪一帯は縄文銀座といわれ、無数の遺跡が残っている。そのなかには、柱穴列なども残り、縄文人も同じような祭りをしていたと思われる。山の神に願い、また作業する人たちを励ます木遣《きや》りの美声が、残雪をいただく八ヶ岳にとどろく。森と人間の関わりが凝縮されている。四月の山出し、五月の里引きに合わせて百万人以上の人が出るといわれる。秋には村の小宮の御柱祭がおこなわれ、一年じゅう地域は祭りに酔いしれる。

小林秀雄が御柱祭に参加して「祭りのなかの祭り」、岡本太郎が「オイ、縄文人が満ち満ちているゾ」と叫んだといわれているが、わかるような気がする。

ぼくらは地域医療を実践するために、地域への限りない愛着をもちつつ、地域へ自己の生活を投げ入れようと思っていたので、日本三大奇祭といわれるこの不思議な御柱祭に参加するようになった。よそ者の医師集団が祭りに参加することによって、地地域共同体の仲間として認められ始めたように思う。十七キロの御柱街道の沿道にある多くの家が、よそ者のぼくらを受け入れ、酒を飲ませてご馳走《ちそう》してくれた。

引くだけの御柱祭だったのが、六年後には御柱に乗せてもらえるようになった。さらに、六年後には「めどでこ」にも乗せてもらえるようになった。上社の御柱は男神を示していて、ツノがある。四本のツノのことをめどでことという。御柱を進めるかじとりをする、祭りいちばんの華《はな》である。最高の晴れ舞台である。地域の住民として認められるようになったのだろう。東京で生まれ育って、東京で大学生活をしていくなかで、おのずと西洋流の、個の自立の大切さを信じてきた。自分を棚に上げて、自立していない人を見ると批判した。無意識のうちに、個の自立という言葉にあこがれていたのかもしれない。アイデンティティという、わけのわからぬ「自分さがし」の旅をしていたそんなぼくが、古い共同体の祭りのなかで、あたたかなぬくもりを感じた。祭りの真《ま》っ只中《ただなか》に身を置いたとき、はじめて気がついた。個の自立を獲得しようとする自分のなかに、無用の競争や差別意識を生んできたような気がした。ぼくは隣組をはじめとして、町の隅々まではりめぐらされている田舎的ネットワークが大嫌いだった。しかし信州の片田舎でぼくの心のなかの哲学に革命が起きはじめていた。

祭りだ祭りだ

一九八六年の御柱祭の年だったと思う。自分でつった魚や、山でとったキノコや、山菜を食べさせる食堂の大黒屋のおやじさんは、「めど長」を務めていた。「めどでこ」の最高責任者である。それまでに糖尿病があり、心筋梗塞を経験していて、ぼくが治療していた。

「先生、めどでこに乗るかい」と声をかけてくれた。祭りが大好きなぼくは喜んで乗せてもらうことにした。木遣りと「オイサッ、オイサッ」のかけ声に乗って、それは楽しいものであった。上社の御柱には二か所、死人が出る難所がある。木落としと川越えである。ぼくは「めどでこ」に揺られて川越えのところまでやってきた。

そこで大黒屋は「先生、ここは危ないから乗らないほうがいい」といって、ぼくに代わって「めどでこ」にまたがった。川の向こうから千人近い引き子が御柱を引き付ける。競《せ》り上がった御柱は宮川の中へドッと落ち込む。四本の「めどでこ」に乗った人たちは柱にしがみつく。そのとき、右後ろの大黒屋が乗っていた「めどでこ」が外れ、彼は十メートルほど空中へ投げ出され、頭から土手に落下した。頭蓋骨《ずがいこつ》七か所の骨折、そして両側の肋骨《ろっこつ》も多発骨折を起こした。が、難所のため救急車がいつも近くで待機している。ぼくは駆けつけ、救急車に乗りこむ。救急車のなかで彼の呼吸は止まりかかり、人工呼吸をしながら病院へたどり着いた。

奇跡的に一命を取りとめた彼は、動眼神経麻痺《まひ》という後遺症は残ったが、元気に新しい仕事に取り組んでいた。それが十二年後の御柱を一か月前にして脳卒中で倒れた。脳梗塞の治療をおこなった。重症の片麻痺である。リハビリが始まった。しかし、祭り男の彼は、御柱祭にはどうしても外泊すると、きかない。リハビリが始まって間もない彼に外泊は無理かと思われたが、外泊許可を主治医から無理矢理もらって、車椅子で家に帰った。

ぼくは毎日、法被《はっぴ》姿で御柱往診をおこなった。祭りはまた大黒屋のおやじさんに生きる勇気や元気を与えているようだ。木落とし坂の真下にある彼の家には、木落としを成功させた十数名の若衆が次から次へ興奮した顔で上がり込み、祝い酒をよばれていく。

車椅子に座った彼は、うれしそうに若衆たちに、昔の木落としを自慢げに話す。入院当初、車椅子生活を受容できず、悔し涙を流していたときと違い、見事に輝いていた。精神神経免疫学的にいうと、大脳の中心にある間脳《かんのう》に刺激を与えて、エンドルフィンを分泌《ぶんぴつ》させ、免疫機能を活性化しているのだ。祭りは精神状態をハイにするだけではなく、癒しの効果をあわせもっているような気がする。祭りは不思議なエネルギーを与える。「大黒屋さんはぼくの命の恩人です」とぼくは彼に感謝した。彼は「先生がいなかったら、私は死んでいた。先生は私の恩人だ」といった。

元気な頃、マツタケとりの名人の彼は、秋になるとマツタケを届けてくれた。リハビリが成功して、いつかまた、彼がとったマツタケを食べられるようになるのが楽しみである。

おそらく、太古の時代から人間は祭りをしてきた。その祭りのなかから生きる力や喜びを与えられてきた。大学病院や高度医療をおこなう大病院では、地域の祭りに参加することは少ないだろう。地域医療の必須条件では決してないが、祭りへの参加は地域医療の十分条件のような気がする。祭りだけではないが、地域共同体の活動に参加することは、地域医療にとって重要なことだと思っている。祭りの期間、村々、町々はひとつの世界にとけ合う。ぼくも諏訪中央病院も御柱祭をとおして、この地域にとけ込んでいった。

「ほろ酔い勉強会」の秘密

病院のなかで、一九八〇年頃から、高齢化社会で地域の病院として何ができるか、考えようという動きが出てきた。

病院職員の勉強会からスタートして、社会福祉協議会のスタッフ、市の保健婦、ボランティアスクールを卒業した市民などが集まりはじめた。はじめは、夜、仕事が終わってからの勉強会で、自分たちの町をよくするにはどうしたらよいのかと議論した。仕事が終わっていたのでぼくがお酒を持ち込んだ。こうしてお酒を飲みながら自由な議論が始まった。名前は「ほろ酔い勉強会」と命名した。

会のメンバーはまず町の実態調査を始めた。調べてみると、脳卒中で倒れてから一年以上、お風呂に入っていない寝たきりの老人がいることがわかった。

お風呂に入れちゃう運動

今から十八年前のことである。これはその頃の日本でいたるところにあった話だと思う。しかし、驚いた。すでに社会福祉協議会には入浴サービスはあったが、そのサービスを知らない人、知っているけど、福祉のお世話にはなりたくないという、農村の保守的な雰囲気やサービス量の不足などいろいろな理由で、寝たきり状態になってから長くお風呂に入っていない人たちがいた。

この人たちをなんとかしようと「お風呂に入れちゃう運動」を始めた。ボランティアを中心に、社会福祉協議会のヘルパーさんや、市の保健婦さんが応援に来てくれた。久しぶりにお風呂に入ったお年寄りがとても喜んでくれた。運動は成功したかに見えた。

ボランティアも自信をもち始めた頃、大変なことが起きてしまった。お風呂に何年かぶりに入ったおばあちゃんが、風邪をひいて亡くなってしまった。今、茅野市は、住民参加の福祉の町づくりで有名になっているが、その頃はまだボランティア活動の草創期だったので、これで市民が参加する福祉の町づくりも終わりかなと悲観していた。

おばあちゃんのお葬式が終わって一週間ほどたったとき、お嫁さんから電話が入った。怒られるだろうなと観念した。覚悟して受話器をもった。「お待たせしました、鎌田です」ぼくの声は元気がない。「ご迷惑をおかけしました。長い間、大変だったですね。ご苦労さまでした」

お嫁さんの声はやさしかった。「ありがとうございました。私は姑《はは》のために何年も一生懸命看《み》ていたつもりだったけれど、素人《しろうと》だから、寝たきりになったおばあちゃんをお風呂に入れられるなんて思いつきませんでした。いつも体を拭いてあげていただけ。先生たちとボランティアの人たちが家に来てくれて、何年ぶりかでお風呂に入れていただいた。結局その後で亡くなったけれども、私が気がつかないで垢《あか》だらけのままで、お風呂に何年も入れないで、あの世に行かせてしまったら、嫁の私としてはとてもつらい思い出になりました。おばあちゃんをきれいな体であの世に送れて、ほんとうによかった。

先生、おばあちゃんは久しぶりにお風呂に入れてもらったあの晩、とてもいい笑顔をしてくれました。おばあちゃん、うれしかったんだと思います。おばあちゃんの久々の笑顔は嫁の私への最高のプレゼントでした。ほんとうにありがとうございました。ボランティアの方々にもよろしくお伝えください」電話は切れた。

なんとも幸せな気分になった。お嫁さんのひとことはボランティアの人たちにも、ぼくたちにも自信を与えた。

いいことをしようとして結果としてまずいことが起きても、人は理解してくれる。お嫁さんのひと言は、ぼくたちの町のボランティア活動の大きな後押しとなった。

「ほろ酔い勉強会」はこんなふうに、ほろ酔い気分の千鳥足に似た、よたよた歩きながらも、つぶれそうでつぶれない集まりとなった。町をよくするんだという熱い思いは誰にも負けない集まりだった。

デイケアが始まった理由

「ほろ酔い勉強会」に参加している市民からこんな不満が出た。

「子供が大学に合格したので、母親として、都会生活をする子供のためにアパートを探したり、家具をそろえてあげたいと思った方がいる。でも家には寝たきりのおじいちゃんがいるので、初めて市へ相談に行ったそうです。二日間おじいちゃんを預かってもらえないだろうか、と。そのあいだ、子供の東京での生活の仕度をしてあげたいと頼んでみた。でも、冠婚葬祭でないと、寝たきりのお年寄りは預かれないという返事だったらしい。

その方は正直な人で、冠婚葬祭といえばいいのは知っていたが、嘘をつきたくなかった。お嫁さんは毎日、一生懸命おじいちゃんを看ているのに、たった二日間預かってくださいと頼むのに、嘘をつかなくても預かってくれる町にしたいです」

なるほど、そのとおりだと思った。

他のボランティアからも声があがる。

「長いあいだ介護にご苦労している方が、たまに買い物に行くのでも、映画を見に行くのでも、息抜きができるようにすべきだと思う」

「寝たきりのおじいちゃんを看るようになって三年。子供は小学生なのですが、もう三年間も夏休みに海に連れていってあげられません。同級生がみんな海に行くので、うちの子、とてもうらやましがって。私はいいのですが、子供がかわいそうで」

次から次へといろんな話が出てきた。

「ほろ酔い勉強会」に市民が参加していたことがよかった。当たり前の生活をする視点から、当たり前の意見が出された。

十八年前の話である。その頃、まだ介護者を支える制度が乏しかった。もちろんデイサービスもデイケアも制度になっていなかった。あったのは精神科のデイケアで、入院を必要としない軽い精神障害のある方で、仕事につけない人が、保健所などで一日作業療法をしてすごすデイケアがおこなわれていた。

「ほろ酔い勉強会」のなかから、これを利用して、身体障害老人のデイケアをしたらどうかと声があがった。やろう、やろうと話が決まった。どこにもモデルがなかったので、全部自分たちで工夫した。

デイケアの目標も決めた。介護者を支えよう。一日、ぼくたちがお年寄りを預かることで、お嫁さんや介護のおばあちゃんにホッとしてもらおう。息抜きをしてもらおう。寝たきり老人をかかえた嫁が遊ぶのはけしからんなんていわれず、大手を振って遊んでもらい、英気を養ってもらう。リフレッシュしたお嫁さんが、お年寄りをやさしく看てくれればありがたいと思える地域にするために、みんなで意識改革をしようと決めた。

その他の目標として、お年寄りにとにかく楽しんでもらい、「生きててよかった」と思えるようにしよう。リハビリの再強化をしよう。ボランティアの活動の場としてデイケアを利用しよう。病院が機械化、近代化するなかで、医療の原点であるやさしさを失いがちになるが、デイケアでお年寄りをお世話することで、ぼくたちの病院はやさしさを失わないようにしようと、話し合った。

ぼくたちの始めた市民中心のデイケアは厚生省の目にとまり、厚生省で、ボランティアが撮ってくれた八ミリ映画の活動記録の上映会がおこなわれた。これがきっかけになったのだろう、それからしばらくして、デイケアやデイサービスの制度がつくられ、日本じゅうにデイサービスセンターができるようになった。

命を支えるのに、こんなものがあったらいいなあという市民の単純な思いが、国の新しい制度をつくったように思う。

板挟《いたばさ》みにあったオチンチン

六月、高原には束《つか》の間《ま》の春が訪れる。渓流のほとりにはサクラソウ、ザゼンソウなどが咲き始める。六月末には霧ヶ峰高原から車山《くるまやま》一帯は、レンゲツツジによって深紅に染められる。ツツジが終わると高原の短い春は、あっという間に夏に追い越される。ニッコウキスゲが高原を黄色一色に染め変えるのだ。里は新緑の葉桜の季節になった。

病院の約三十名のグリーン・ボランティアが、ハーブガーデンや野菜ガーデン、キッズガーデンに手を入れていく。林から腐葉土《ふようど》をとってきて、病院のやせ地を土から改良していく。

咲いている花もハーブも、患者さんは自由にとっていっていいことになっている。病院の庭に建つ、西洋式東屋《あずまや》のガセボのなかに置かれているガーデン自由帳には、患者さんの言葉がそえられている。

「花をいただきました。親切にしてくれてありがとうございます。暖かい日にはまた来たいと思っています」

「おじいちゃんの外来に付き添いできました。時間をもてあまして院内をフラフラ見学していたら、おいしいコーヒーのコーナーがあり、そこで一服しました。そして、宮崎学《みやざきまなぶ》さんの写真を見て感動！　それから、このお庭でほっとした一時を過ごしました。入院中のおばあちゃんの事や体の悪いおじいちゃんの事、いろいろ疲れていた心を今日はいやしていただきありがとうございました。なんてステキな病院なんでしょう。付き添いで来るのが楽しみになりました。K・K」

宮崎学氏は土門拳賞《どもんけんしょう》をはじめ、若くして日本の写真界の賞を総なめにした写真家。彼が一本の柿の木の四季を、十二枚の大きなパネルにして寄付をしてくれた。木の根元にタヌキやキツネが訪れる彼独特の世界だ。ありがたいことだと思っている。ぼくは病院全体が癒しの空間になれればよいと病院づくりをしてきた。

今から二十五年ほど前、ぼくが青年医師だった頃の話だ。よしさんは、その頃七十歳を少し超えていたと思う。高血圧症と狭心症の治療をしていた。

診察を終え、外来を出ていくとき、偶然、よしばあさんの手がぼくの股間《こかん》に触れた。二週間がたち、よしばあさんが外来にやってきた。狭心症は起こらず、よい経過だったようだ。

嫁の話をしたりしてなかなか席を立たない。ぼくが横を向いたとき、よしさんの手が伸びてきた。再び偶然が起きたのである。さらに二週ごとに偶然がくり返された。若かったぼくは防衛線を張って外来に臨んだ。今日こそは絶対に触られないぞ。

その頃すでに、外来の看護婦さんたちは、ぼくらの静かな闘いに気がつきだしていた。

今日はばあちゃんが、どんなテクニックを使ってくるのか、KAMATAがどんな手で逃げるのか、看護婦さんたちの楽しみになりだしていた。いま流行の言葉を知っていたら、青年医師・鎌田はきっと「セクハラだ!」と叫んで、助けを呼んだかもしれない。多彩な新手をくり出してくるよしさんの前に、青年医師はみじめな敗北をつづけた。

看護婦さんたちがささやきだした。「どうも先生は楽しんでいるのでは……」とか「気持ちがよさそうよ」とか。まさに青年医師にとっては地獄の板挟みであった。

しかし変なことが起きたのである。ぼくが三井記念病院に心《しん》エコーの研修に出たとき、代役をしてくれた先生が部屋じゅうを逃げまわり、よしさんは夢を果たせず、すごすごと帰っていった。その晩、起きてしまった。本当に久しぶりによしさんに狭心症が起きた。

ぼくは東京から帰ってきてそのことを聞かされた。それまで、どうしてもイヤだな、気持ち悪いなと思っていたのが、ふっ切れた。狭心症の特効薬のニトログリセリンよりも、ぼくのオチンチンのほうが効くんだ。下品な表現ですみません。余分な薬も増やさず、それから約十五年、同じような攻防をくり広げながら、よしさんは狭心症もあまり起こさず、八十余年の人生を閉じた。

毎回、よしさんが診察室に入るとゲラゲラ大笑いになる。八十歳を過ぎたよしさんの高笑いが、今も忘れられない。

ぼくはこの地獄の板挟みのなかで、よしさんから大切なことを学んだ。七十になっても、人は人に触れていたい、触れられていたい。そんな思いだったのだろう。

「治療する」ことを「手当て」と呼ぶ。治療の原点はまさに手を当てて触れることなのだろう。よしさんのことはぼくたちに、その大切さを忘れるなよ、と語っていたような気がする。

あんぽんたんドクターたちの闘い

蓼科《たてしな》に短い夏がやって来た。横岳《よこだけ》ロープウェイで坪庭へ登ると、北横岳と縞枯山《しまがれ》の鞍部《あんぶ》に広がる溶岩大地に、シャクナゲ、ハイマツ、コマクサなどの高山植物が可憐《かれん》な姿を見せてくれる。

一九七四年、ぼくが諏訪中央病院に赴任したとき、医局には二、三人の拘置所《こうちしょ》帰りの医師がおり、他ではとても雇ってもらえそうもない彼らは実によく働いた。医者の来手のない病院だったので、医者なら誰でもよかったのかもしれない。

ぼくの前任の院長は、東大闘争の裁判が終わると、刑務所でおつとめをすることになった。病院の玄関で職員総出で見送りをした。まるでヤクザの親分が刑務所に入るときのような光景であった。市長さんのところへ挨拶《あいさつ》に行くと、ちょうど市議会中だったが議会を中断して、保守系の議員さんが多いのに、全員で「がんばって来いよ」と激励してくれた。

刑務所で何をがんばればよいのか、そのときは彼にはわからなかったようだが、彼は外科医で刑務所に入り、約一年の刑期中に膨大《ぼうだい》な内科書を読みあさった。そして内科医として再出発しようと決心し、出所するとすぐに虎の門病院で研修をして茅野に戻った。内科医が少なくて困っていた地域の病院の要望に見事に応えたのだ。彼は今、医師を辞め国会議員をしている。彼が町を去る日、駅ではたくさんの患者さんたちがお見送りをしてくれた。このとき、ぼくは大変風変わりな病院に来てしまったことに気づいた。同時に町の人たちのあたたかい心に触れた。この町の人たちのために全力で働きたいと、そのとき思った。

　しかし相変わらず病院はさびれていた。患者の少ない病棟は、夜になると幽霊が出そうなほどシーンと静まりかえっていた。信じられないことに畳の病室が残っていた。

　脳卒中の患者さんが来ると今のようにCT（コンピューター断層撮影法）やMRI（磁気共鳴映像法）はないので、脳梗塞なのか脳出血なのか、クモ膜下出血なのかを診断するために、脊髄穿刺《せきずいせんし》の検査をおこなった。畳の病室でぼくは悪戦苦闘していた。青年医師のぼくは寝転がって、まるで患者さんの背中に添い寝をするような体位で、脊髄液をとる検査をしたのを覚えている。

　畳の病室では、意識がない患者さんには、尿をとるためのバルーンが使えないなんて、大学では教えてくれなかった。

ちなみに在宅ケアではベッドを使わず、畳の上で患者さんが寝ていてもバルーンが使えた。尿を集める袋を、患者さんよりも下方に置いておけるところをさがした。信州の農家には掘炬燵《ほりごたつ》という秘密兵器があったのだ。同級生が大学病院で、がんの新しい治療法をかっこよく研究しているころ、ぼくは寝たきりの患者さんを往診しながら、掘炬燵の新しい利用法を発見し、「新発見、新発見！」と患者さんの家族と手を取り合って喜んでいたのである。もちろん、学会で発表できるような新発見ではなかった。

七月、お百姓さんは短い夏を忙しく働く。高原地特有の気候は高原野菜、花の栽培に適し、日本有数の産地になっている。朝、暗いうちからカンテラのようなものをつけて、セロリを収穫し、夜遅くまで箱詰めをして出荷する。

上北久保集落のお嫁さんがフラフラして外来に来た。二十数年前、地域の事情を飲み込めていなかったぼくは、血液検査やレントゲン検査、超音波検査などをおこなったが、すべてが正常。頭をひねるばかりだった。

答えは簡単だった。「過労」と「寝不足」。数年後の夏、彼女が同じように外来に来ると、ぼくは検査をせずに点滴をゆっくりすることにした。一時間ですむところを三時間かけておこなった。点滴の電解質やわずかなカロリーに期待するよりは、若いお嫁さんにゆっくり休ませてあげる「時間」を捻出《ねんしゅつ》したかったのだ。

患者の来ない病院に通ってきてくれる数少ないお年寄りたちは、注射してもらい風呂敷包みいっぱいの薬をもらうのを楽しみにやってきていた。しかし、東京からやってきた若造のあんぽんたんの医師たちは「注射はできるだけしない。薬は最小限にする」と決めた。

病院経営が苦しかったなかで、「正しいものは正しい」という方針を貫いたことは、新しい地域医療を模索するスタートとしては、今から考えると大切なことだったと思う。

「注射をできるだけしない」と決めたなかで、若いお嫁さんへの一本のゆっくりした点滴は、あんぽんたんドクターのめざす、地域を知り、地域に愛着をもったあたたかな医療の具現化であった。よけいなアンプルの入らない一本の点滴は、ビタミン愛がいっぱい満たされた、若いお嫁さんへの「がんばれよ」という短い激励のメッセージだったように思う。

ぼくが田舎医者になった理由《わけ》

人工呼吸器につながれた死

ぼくは東京で生まれ、東京で育った。ひとりっ子だった。落語に出てくるような長屋に住んでいた。前の家は大工さん、右隣は畳屋さん。その日のお米がなかったりすると、貸し借りするような下町で育った。

父親は青森の生まれ。貧しい農家の子だくさんの末っ子で、学校は行きたかったけれど小学校しか行かせてもらえなかった。頭のいい人だったと思う。政治のことでも経済のことでも詳しく、世の中のことをちゃんと見ている人だった。学校の先生になりたかったらしいが、貧しかったのであきらめ、東京へ出てきた。自動車の運転免許をとって、運転することで一生生活をした。敗戦後は、進駐軍のスクールバスの運転や、中小企業の社長さんの運転手、人生の後半はタクシーの仕事をしていた。

たいへん厳しい父親で、小さな家だったけれど、毎日の日課として、ぼくは家の廊下を拭いたり、庭の掃除をしたりするようにいわれた。

父は他人にも厳しく、さらに自分にはもっと厳しかった。貧乏だったが、父親は懸命に働いた。当時、ぼくはまだ小さかったけれど、必死に働いている父の姿を見てきた。

母はずっと心臓病を患《わずら》っていて、ぼくが小学校の頃はほとんど大学病院に入院していた。とても寂しかった。

学校から帰ってきても、だれもいない家。友達がぼくの宝物だった。仲間を大切にすること。仲間を裏切らないこと。子供心にも、自らのさみしさをこれ以上増やさないために体で覚えたように思う。近所の酒屋さんの家で、父親が仕事から帰ってくるまでテレビを見せてもらったりしているうちに、週一回ぐらいは「實《みのる》ちゃん、ご飯食べていきな」と声をかけてくれた。今でもそのときのうれしさと、あたたかな家庭の夕食は忘れられない。

友達が兄弟の代わりであり、隣のおばさんが母の代わりであった。

仕事に疲れた父と夜遅く、定食屋さんで夕食をすませた。もやし炒《いた》めとどんぶり飯。わびしい光景だが、小学一年生のぼくは夢中でどんぶりにしがみついた。「うまいか」父の声はやさしかった。せつないが、ぼくにはとても懐かしい思い出だ。父親は、家を支え、妻を支えて精いっぱい生きていた。

母親はいつも家にいなかったが、ぼくは母親が好きで好きでしょうがなかった。母親が他人を悪くいったり、他人とけんかをしているのを見たことがなかった。貧乏な家だったけれど、いつもにこにこして笑顔を絶やさない人だった。電車に乗ると、ミカンを出して半分にして、隣に座っている見ず知らずの人に「どうぞ」と差し出す。実に田舎っぽい人だった。

子供の頃、ぼくはそんな母の行動がいやで、隣に座っているのがとても恥ずかしかった。母を好ましく、むしろ魅力的に見ることができるようになったのは、ずいぶん後になってからだ。母には不思議なオーラがあって、突然、電車のなかで隣の乗客に話しかけ、変な人と思っていた相手もだんだんに母のペースにはまり、降りる頃には仲良くなってしまう。特殊な能力の持ち主だった。

このように、小学校の頃のぼくの家は、ほとんど入院していて家にいられなかったやさしい母親と、生活に追われて死にものぐるいで働いていた厳しい父親と、寂しがり屋のできの悪いひとりっ子という、三人が顔をいっしょに合わせることの少ない、家庭といってよいかどうかとまどうような家だった。でも、みんな必死に生きていたように思う。心の絆《きずな》は、その頃とても強くなったように思う。

医者になんかなれるわけがない

その頃、日本で心臓外科の手術が始まった。母は僧帽弁狭窄症《そうぼうべんきょうさくしょう》で、東京女子医大の榊原先生に手術をしてもらい、幸いに成功し、一時期元気になった。

当時は国民皆保険の少し前だから、大学病院に入院して心臓外科の手術を受けさせることは、とても大変だったと思う。父はぼくを男手ひとつで育てながら、母の医療費を稼ぐために夜遅くまで仕事をしていた。

父親にとっても母親にとってもぼくは自慢の子供だった。成績もよかった。父と母の苦労を見ていたので、いい子を演じていたのかもしれない。

すごく甘えん坊だった。父親に与えられた自分の分担の家の掃除などをすますと、日曜日は母親の入院している病院へ行って、母親のベッドのなかにもぐりこんで一日すごすような少年だった。病院のなかで大部屋の患者さんたちの不安や不満をなんとなく聞いて、病院の先生にもいろいろいて、いい先生がいたり、子供心にもいやだと思うような先生がいることを知った。この時期の経験は、自分の進路を決めるときに大きな影響を与えたように思う。

アルベルト・シュバイツァーのように、アフリカやアジアの恵まれない人のために仕事をしたいとか。北杜夫の『どくとるマンボウ航海記』を読んで、船医になっていろんなところに行ってみたいとか。英国のクローニンという作家が好きで、その小説を読みあさっていたぼくは、炭鉱町の診療所の医者として働いたことがある、クローニンのような生活にも憧れをいだいていた。ぼくは医学部に行きたいと思った。

父親に医者になりたいという話をしたところ、貧乏人の家で医者になどなれるわけがないと思った父は大反対だった。小学校しか出ていない父親はいちばん生活が安定して、いちばん偉くて、人様に尊敬されるのは学校の先生だと信じていた。しばらく口をきいてもらえなかった。頑固者の父と何度も話した。ぼくは母の体が弱かったから、母のような人を健康にできる医者になりたいと何度も何度も話したが、父は納得しない。父の壁は厚かった。

ちくしょう、なんでわかってくれないんだと悔《くや》しかった。今から思うと、父の壁が厚ければ厚いほど、ぼくの心のなかに突破するための大きなエネルギーを貯える効果を生んだ。

最後にぼくがどうしても医者になりたいといったときに、じゃあ交換条件があるといいだした。自分は母さんの世話をするだけで手いっぱいだから、おまえには自由をやる。その代わり自分のことは自分でしろ、生活費も大学の授業料も全部自分で稼げ、といった。

そしてもう一つは、医者になったら患者さんをびくびくさせたり、怒鳴《どな》ったりするような医者になるな。弱い人とか困った人、貧乏な人を大切にする医者になれ、ということだった。ぼくは幸い国立大学の医学部に入り、卒業すると父との約束どおり、迷いながらも田舎の医者になった。できるだけ患者さんのそばにいて、地域の人が生まれてから死んでいくまで、共に歩んでいけるような医療がしたいという夢をもって、諏訪《すわ》中央病院へ来た。

人工呼吸器につないで一秒でも長く生かしてくれ

母は心臓の手術が成功して一時元気になったが、ちょうど東京から茅野《ちの》へ遊びにきている最中に脳卒中で倒れた。重症だった。ぼくと仲のいい同級生が母を診《み》てくれた。いろんな手だてを尽くしてくれたが、よくならない。脳死の一歩手前で瞳孔《どうこう》反応もなく、呼吸も弱くなり、脈はやっと触れるという状態だった。親友の主治医から呼ばれて、お母さん、もうだめだぞといわれた。ぼくは自分でも診ていてよくわかったので、「ほんとにありがとうな」といって、あとはぼくが父に話をすることになった。

父にもうだめだと話した。「そうか、おまえがそういうなら仕方ない」と悲しそうにポツリとつぶやいた。そこでぼくは「人工呼吸器につなげば、もう一週間ぐらいがんばれるかもしれない。だけど、母さんの気管のなかにチューブを入れて、人工呼吸器につなぐのは、ぼくは息子としてしのびない。そういう手だてもあるけれども、しないほうがいいと思う」と父にいった。すると想像もしていなかったのだが、ほんとに久しぶりに父が手をわなわなと震わせて怒った。父はものすごく怖い人で、ぼくは小学校、中学校のとき、本当にいつもぴりぴりしていた。ただ、高校卒業前ごろから、ぼくの進路をめぐって議論をくり返した後、自由にしていいといわれてからは、ずいぶん変わった。

ぼくが学生運動にのめり込んで危ないことをしていたときも、おまえの人生はおまえのものだから、おまえの責任でやれといってくれるような人だった。

ぼくが一か月ぶりにバリケードの生活から家へ帰ったとき、「おまえは自分のためにやっているんではないな。人のために、いい社会にするために、学生運動しているんだよな」と厳しい目つきでぼくの目を見た。ぼくは「研究も大事だが、研究のために患者を利用する大学ではなく、患者のための治療が最優先される大学にしたいと思っている」というと、父は急にやさしい目にもどり、「おまえを信じているよ。どうせやるなら、しっかりやれ」と変な激励をしてくれた。

その父が、母が死のうとしているときに、一秒でも長く生きられる方法があるのに、どうして息子のおまえがしないんだと、真っ赤になって怒った。「おれは、そんなつもりでおまえを医者にしたのではないぞ。母さんにできるだけのことをしてやってくれ」

そのとき、ぼくはぼくで大切な人を最高の形で診たいと思っていた。それは、ぼくにとっては人工呼吸器につなげない方法だった。反対に父は、助からないのがわかっていても、一秒でも生きていてほしいと思った。これは夫婦と親子の違いなのかもしれないなと、今となっては思う。

ぼくは父の怒りを察して、「うん、わかった」と友人の主治医と相談し、母の気管のなかにチューブを挿管《そうかん》して、人工呼吸器につないだ。母親はどんなときでもにこにこして、人の悪口をいったり、不平をいったりしない人だったので、きっと人工呼吸器につないでも許してくれるかなと、なんとなく思った。結局、つないで一週間後、母の心臓は止まって、亡くなった。その一週間、父は一度も家へ帰らず、病院で母のそばにずっとつきっきりだった。

亡くなった後、父は「ありがとう」といってくれた。父はその一週間のあいだに心の整理ができた。ぼくは人工呼吸器につないだことは母のためになっているのだろうかと気にしながら、一週間をすごした。しかし、母を看取《みと》ったとき、「できるだけのことはしたんだ」という満足そうな父の顔を見たぼくは、これでいいんだ、よかったんだと思った。

つまり、人間の命のあり方を決める場に直面したとき、ぼくはぼくなりに母を大切にした思いのうえでの判断だった。父は父で、自分の女房に対する愛情の表現だったのだろう。立場が違うと、思いも考え方も違うことを知った。でも、違うという前提があっていいように思う。答えはひとつではないのではないか、ということを学んだ。

最期のビールと津軽三味線《つがるじゃみせん》

父の名は岩次郎《いわじろう》。東京から引っ越してきて、ぼくらはいっしょに林のなかに丸太小屋を建て、父の名前をとって岩次郎小屋と命名した。三世代家族で十数年すごした。信州に来ることを拒んでいた岩次郎は、母が死んだ後、東京で長く一人暮らしをしていたが、「めまい」の症状が現れ、糖尿病も悪化したとき、信州で息子と生活することをしぶしぶ決めてくれた。ぼくが院長になった年だ。ぼくは三十九歳だった。

一人息子のぼくが当然、東京にもどってきてくれると信じていた父は、これであきらめた。院長にさせられてしまった以上は、東京にもどってきてはくれないと思ったようだ。「なんで親が子にあわせなくてはいけないんだ」とブツブツいっていた。

それまでぼくは、常にデラシネ(根なし草)でいたいと思い、家を造るのには抵抗があった。妻のさと子は官舎ではなく、自分の家を欲しがっていたが、ぼくはいずれ病院づくりが安定したら、アジアやアフリカで、恵まれない人々のために医療活動をしたい、日本で働くなら、もっと過疎の山村で地域医療をしたいと思って、家を造って定着することを怖がっていた。

岩次郎が信州に来る条件は、官舎では自分が落ち着く空間がないので、自分の部屋のある家を造ることであった。一人息子のぼくとしては、これ以上自分のわがままを通せなかった。

今まで充分に自分の道を走らせてもらった。家を造る決断をした。家を造るなら、せめて山のなかで生活したいと思った。しかし、この夢も簡単に破れた。子供たちの学校へ通う足の確保。年老いた岩次郎の世界が狭まってしまう。それなら、町に近く、学校にも通えるところで、自然が残っているところはないかと思った。あった。病院から歩いて十分のところに見つかった。小さな川が流れ、雑木林と藪《やぶ》があり、南向きの傾斜地。そんなところ買ってはいけないと、病院の仲間にいわれたが、傾斜があろうがなかろうが、林が気に入った。

キジが来る。ぼくは見ていないが鹿を見た人もいるとのこと。栗の雑木林やアカシアの巨木がまわりにあり、アカシアの木の下に椅子を置いて、夏、木もれ日のなかで本を読んでいると自分だけの小宇宙が形成される。不思議な空間をみつけた。ぼくのメディテーション・ツリーだ。瞑想《めいそう》のできる小宇宙である。

指揮者の若杉弘氏も、毎年遊びにくると「いいな、いいな」といいながらアカシアの木の下に向かう。この木の下にいると、宇宙からの静かな呼びかけが聞こえるような気がする。間違いなく、自分の魂が自らのあり方を決めているのであるが、この木の下で考えていると、あたかも自然という大いなるものの声に従っている自分が見えるような気がする。

この木のそばに丸太小屋を建てた。カナダのマイルス・ポーターという有名なログビルダーが、霧ヶ峰の巨石で作ったロックガーデンを気に入り、樹齢二百年の丸太を使って小屋を作ってくれることになった。岩次郎小屋のまわりは、古い枕木が敷かれ、複雑な小径《こみち》をつくっている。隣村の林のなかで廃材を利用した森のレストラン、「カナディアンファーム」を営んでいる長谷やんのつくった、ガウディのような波打った大屋根をのせた不思議な駐車場と、せせらぎの聞こえる庭の林が、疲れたぼくの心を癒《いや》してくれる空間になっている。

丸太小屋を作ってくれたマイルス・ポーターは「二百年はゆっくりもつよ、大事に使えば五百年は大丈夫」といってくれた。二百年もつとして、今ぼくらは三世代家族になったので、後二百年なら二十五年に一代ずつ、新しい世代の子が生まれるとすると、二百年で八代、すでに三世代で生活しているので、二百年後には岩次郎から数えて、十一世代を下ることになる。十一世代先の子に、この小屋を作ったのは岩次郎だという名を残したくて、岩次郎小屋というおかしな名をつけた。

九八年秋の十月十四日、岩次郎は八十八歳で亡くなった。脳卒中で八月初めに倒れて重症だった。意識があるような、ないような状態がつづいた。椎骨《ついこつ》脳底動脈の脳梗塞《のうこうそく》のため両手足をまったく動かせない。目も開けられない。全力で治療したが快方に向かわなかった。病棟の婦長は刺激すると反応があるみたい、こっちのいっていることはわかっているようだという。そして、ぼくの父が酒好きなのをよく知っていて、「先生、おとうさん、ビール好きだったからビール飲ませましょうか」という。

注射や手術をしようという治療方針よりは、うれしい提案だった。家族と、昔の下宿人で息子のように可愛がっていた徹《とおる》君に千葉から来てもらい、みんなで最後のビールを飲んだ。とっておきのドイツのビールで、ごくんと喉《のど》を鳴らして最期のビールを味わってくれたように感じた。

医者として、客観的には岩次郎がビールを飲めたかは疑わしいと思っているが、息子としては最期のビールを味わってくれたと信じたい。その空《から》のビール壜《びん》は今、宝物としてとってある。

亡くなる前の日、十月十三日の夜十時頃、ぼくが仕事を終えたところへ看護婦さんから連絡がきた。血圧が五十、脈は弱くなっているとのこと。いよいよだなという状態に入った。病室のドアを開けると、ほんとにびっくりするような光景が広がっていた。

父の枕元にカセットレコーダーが置かれて、青森出身の父が大好きな、高橋竹山《たかはしちくざん》の津軽三味線が小さな音で流れていた。父は夏、自分の部屋で夕涼みしながら、よくおいしそうにビールを飲んでいた。パノラマのように広がる八ヶ岳を見ながら、高橋竹山の津軽じょんがら節を聞いていた。目の前に広がる八ヶ岳は、父の目にはきっと故郷の岩木山《いわきさん》のように映っていたのではないか。晩年、岩次郎は故郷の津軽が恋しくて恋しくてしかたがないようだった。

岩次郎のそんな切ない思いを知っている女房が、竹山のテープを家からもってきたようだ。父の耳元で津軽三味線の哀調が漂う。死の直前でも、聴覚が最後まで残るといわれている。きっと父には聞こえていたと思う。

もうひとつ驚いたのは、ベッドに敷いたビニールの上に、お湯の入った洗面器が置かれ、妻がおじいちゃんの足をお湯でマッサージし、娘のきららが手をきれいに洗ってさすっていたことだ。そして、さっぱりと拭いてあげたあと、爪も切ってあげていた。まさに亡くなろうとしている父は、黄泉《よみ》の国へ渡るため、体をきれいにしてもらい、ぬくもりを感じ、最期のひと呼吸まで安らかな呼吸の確保をしてもらった。しゃべることのできなくなった父と、ぼくら家族の最後のコミュニケーションが、足浴や手浴だったのだろう。そして残された家族の死んでいく岩次郎への「祈り」でもあった。

娘に聞くと、若い看護婦さんがおじいちゃんの手を洗ってあげましょうよと、いってくれたとのこと。八十八歳の患者が血圧も測りづらくなったとき、各種のモニターや医療機器を病室に持ち込むのではなく、ベッドにビニールを敷いて、お湯の仕度をしてくれる若い看護婦さんの、機転と勇気と、魂に寄りそうような看護に感心した。さらに家族に手出しをさせてくれるジャッジメントに「見事」と思った。

患者さん二人に、看護婦さん一人という、一般病棟の最高の看護体制をとっていると、つい「完全看護」という幻の言葉がひとり歩きしてしまう。家族に無理な介護をさせないのはもちろんだが、亡くなるときに介護に参加させてくれ、思い出づくりをさせてくれる「看護」の大切さを教えられた。

これで父はあの世に行くんだなと感じた。別れはつらいがこれでいいんだと思った。母を看取るとき、人工呼吸器につなげてしまったが、父のときにはそうしたくないと思っていた。父は好きな津軽三味線を聞きながら、孫に手をお湯でマッサージしてもらい、多分ふわっとしたいい気持ちで、三途《さんず》の川を渡ったのではないかなという気がする。いい顔だった。三途の川の渺茫《びょうぼう》たる岸辺に立った、岩次郎のニコヤカで、はにかんだような口から、「サンキュー。楽しかったよ。じゃあ、な」という、進駐軍のスクールバス運転手時代に覚えた、片言の英語をまじえた声が聞こえたような気がした。息子として、心の区切りがついたようにそのとき思った。ぼくらの「生きて欲しい」という切ない思いをつづけるよりも大切なことがあると、そのとき思った。

　穏やかな岩次郎の顔を見ているうち「父さん、ありがとう。じゃあ、ね」とぼくはつぶやいた。娘も「おとうさん、じいちゃん、もう逝《い》っていいネ。これでいいんだよネ」と目を真っ赤にしてつぶやいた。おやじの穏やかな顔のおかげで、家族の心は同じ方向へ向いた。まさに父から孫へ、命のリレーを受けているのではないか。生きていることはすばらしいことだし、死ぬことはそんなに怖いことではないということを、多分、孫へ伝えられたのかなと思った。津軽三味線は静かに流れつづけていた。

　四日後、近くの長円寺《ちょうえんじ》で葬儀がおこなわれた。

別れ

　葬式がおこなわれた長円寺はもともとの鎌田家の宗派とは違う寺院であった。東京にいた父と、茅野にいるぼくのちょうど中間の八王子に母の墓を建ててあったが、移住した父は信州がたいへん気に入り、墓も信州に移すことにした。いっさいぼくには相談がなかった。短気な人で何でも自分でサッと決めてきた。「實はいい加減な性格だから自分が死んだら、八王子まで墓参りに行かないだろう。墓参りさせるためには、家から近いところがいい」極端な性格の父はそう決めると、宗派が違ってもいいから近いのがいいと、いちばん近いお寺の長円寺さんにお願いにいった。長円寺さんには実はそれ以前から、ぼくはお世話になっていた。

病院で始めた高校生のボランティア・サマーワークキャンプの支援をしてくださり、病院で四、五十名の子供たちの食事や宿泊の面倒をみるのは大変だろうから、応援しますよと申し入れてくれた。病院とお寺が仲良くなっていいのかという意見もあったが、これが大成功。地域のなかで、学校と寺と病院と社会福祉協議会のネットワークができた。地域づくりのすばらしい第一歩であった。

岩次郎はボランティア活動を支援してくれる長円寺さんのことは知らずに、墓を移し、新しい檀家《だんか》にしていただくお願いにいった。御住職も大黒《だいこく》さまも大らかな方で「同じ仏教だからいいんですよ」なあんて軽い返事だった。父が気に入って、御住職の墓の隣に、空いている土地を分けていただき、知らないうちに母の墓が移っていた。

父は自分の戒名《かいみょう》もすでにいただき、墓石も彫り、すべての用意がされていた。もちろん自分の葬式用の写真も。後から見つかったのだが、実は死んだときに、新聞に載せる自分の略歴まできちんと用意されていた。本当にすごい人だと思う。

父の用意したとおり、葬式は盛大におこなわれた。明け方までつづいた大型台風の嵐は去り、秋晴れのなかで国会議員をしている今井《いまい》澄《きよし》さんを葬儀委員長に葬儀は進んだ。

三人目の弔辞《ちょうじ》は兄弟づき合いをしている画家の原田泰治《はらだたいじ》さんだ。父の好きだった津軽じょんがら節の三味線が流れるなか、泰ちゃんの弔辞が始まった。書いてきた弔辞は開かず、岩次郎の位牌《いはい》へ向かって、切々と語りかける。まるで目の前に父がいるようだ。

「弔辞　岩次郎さんとお会いしたのは十年ほど前でしたね。住みなれた東京からこの茅野へ来たんですよね。長いおつきあいがあり、話し相手も多い、住みなれた町と離れるのはつらいものです。それなのに岩次郎さんは家を売り、息子、カマちゃん家族のためにログハウスを作りました。そんな決断を実行する親はなかなかいません。カマちゃんはカマちゃんで、その家に『岩次郎小屋』なんて名前をつけ、ぼくに玄関の字を書かせてくれました。うらやましい親子関係をかいま見た気がしました。それ以来のおつきあいですよね、岩次郎さん。

岩次郎さん、岩次郎さんは人生を力いっぱい生きたんですね。青森の決して豊かとはいえない農家に生まれ、先生のすすめる学校もあきらめ、十八歳で上京し、苦労を重ねたのち、個人タクシーで家族をまもってきたんですね。カマちゃんはよくそんな岩次郎さんの苦労話《くろうばなし》をしてくれます。

そういえば、岩次郎さん、みんなでよく食事に行きましたね。お酒が入ると言葉のはしばしに津軽弁がよく出ましたね。そんなときの岩次郎さんがいちばんしあわせに見えました。ゲートボールに熱中し、日焼けした顔がツヤツヤし、ちょっとおしゃれな帽子とシャツがよく似合いましたね。それから青森の魚市場からカズノコのたくさん入った松前漬けを取り寄せ、ぼくの家によくくださいました。あれ、おいしかったです。岩次郎さん、ちょいちょい注文するから市場では有名だったんですね。それほど、ふる里の味が恋しく、大切だったんですね。亡くなる二日前、十二日の早朝、ぼくが行ったとき、岩次郎さん、ゼイゼイ息をしていました。耳もとで『岩次郎さん』と大きな声で呼んだの、わかってくれましたか。枕元のカセットから高橋竹山の津軽三味線が流れていました。カマちゃんが、岩次郎さん、この津軽三味線が大好きだとおしえてくれました。

そういえば津軽三味線の音は、あらあらしく、はげしく、あるときはなだめるようにやさしく、そして力づよさを感じます。岩次郎さんの生き方に似ています。岩次郎さんと重なって聞こえます。カマちゃんがぽつんと、岩次郎さんはお寺も、墓地もお石塔も、遺影写真も全部用意してあるんだと話してくれました。俺があまりたよりないし、できが悪いから心配だったんだと思うといったのです。

岩次郎さん、そうじゃないですよね。カマちゃんが毎日多忙な日々を送っていること知っていたからこそ、めいわくをかけてはいけないと、最後の最後まで父親としての思いやりですよね。そう思います。それにしても、岩次郎さん、カマちゃんがこんな立派なお医者さんになられてよかったですね。それも日本中の医療関係者から注目される大病院の院長ですからね。岩次郎さんが八月一日に倒れたときには、新しい病棟が完成し、そこで毎日医者と患者として顔を合わせられる親子なんていません。お嫁さんのさと子さん、孫の孝広、きらら、みんなやさしい心をもっています。カマちゃんの家族が大好きです。それはやはり、岩次郎さんの生き方、背中を見てきたからです。

岩次郎さん、今どこにいますか。岩木山をながめながら、子供のころ遊んだ田の道にいますか。大好きだった松前漬けでいっぱいやっていますか。それとも二十年前に亡くなられた奥さまフミさんと、カマちゃん家族の自慢話に花を咲かせていますか。

今日、岩次郎さんとお別れするのですが、あまり淋しくありません。だって岩次郎さんは、ぼくたちの心のなかに永遠に生きているし、津軽三味線を聞けば岩次郎さんに会えるのですから。岩次郎さんとの思い出、ありがとうございました。岩次郎さん、さようなら。

平成十年十月十八日　　　　原田泰治」

泣けた。ボロボロと涙が落ちた。再び耳元で岩次郎の声が聞こえた。

「じゃあな。おれ逝くぞ」

背筋をぴんとのばした岩次郎の背中が見えた。

「父さん、じゃあ、ね。ありがとう」

岩次郎の姿が消えた。そのとき、ぼくはあらためてこの地で田舎医者でいつづけようと思った。

チェルノブイリへ

チェルノブイリの子供たちを救ってくれませんか

一九九〇年夏、小樽《おたる》のレストラン、「フィッシャーマンズ・ハーバー」のオーナー猿渡肇《さわたりはじめ》さんが突然、諏訪《すわ》中央病院にやってきた。

「東京の病院にたのんでみたが、どこも相手にしてくれません。チェルノブイリの子供を救ってくれませんか」

唐突な申し入れだ。そばにマリーナという美しいロシア人を連れていた。諏訪中央病院なら、困ったことは何でも助けてくれると聞いてきたという。無茶苦茶な話である。

それ以来ぼくは、チェルノブイリの子供たちの救援活動に引きずり込まれていった。よもや、五十四回(二〇〇三年三月現在で六十七回)も医師団を派遣して、ベラルーシの子供たちの命を支える運動をするとは思ってもいなかった。

ぼくは猿渡さんに頼まれるまま、チェルノブイリに旅立った。

街が滅びようとしていた。村も森も死のうとしていた。一九八六年四月二十六日、旧ソ連ウクライナ共和国（現ウクライナ）のチェルノブイリ原子力発電所四号炉で大爆発事故が起きた。放出された「死の灰」は風にのり、多くは風下のベラルーシ共和国（当時は白ロシア共和国）に降り落ちた。それから十四年、チェルノブイリの悲劇は、その大きさを徐々にはっきりと現しはじめた。

汚染地帯には白血病や甲状腺障害の子供が多く、ベラルーシ共和国自身ではその子供を救けることができない。一九九〇年、ぼくらはさっそくJCF（日本チェルノブイリ連帯基金）というNGO（民間国際組織）を設立し、一九九一年一月、第一次の調査をおこなった。

小児病棟の死にかけている子供たち、母親の涙、医師たちの手を握って離さない熱い期待。子供たちに罪はない、子供たちを何とか救けてあげたい。それから、ぼくらは五十四回医師団を派遣し、今までに五億円を超す医療機器、医療品を現地に送ってきた。さらに小児甲状腺がんが汚染地で異常に多発しているために、検診や甲状腺がんの治療を指導してきた。白血病治療のために、末梢《まつしよう》血幹細胞移植を五例成功させた。ベラルーシ共和国では初めてのことだった。

チェルノブイリ事故はいくつもの運の悪いことが重なってはいるが、特に悲劇を大きくしたのは、それが四月二十六日という特別の時期に起こったためだ。

五月一日にメーデーがある。その頃、国家の威信をかけた大デモンストレーションの練習が各地でおこなわれていた。共産党が支配している時代だった。五月一日は労働者にとって大切な祭りの日だ。さらに、旧ソ連がもつ秘密主義が悲劇をより大きくしていった。

四月末、連日、見たこともない黒い雨のなかで、何も知らない子供たちがメーデーの練習をさせられていた。この黒い雨のなかに、放射能がいっぱい混じっていると知る人は、ほとんどいなかった。

　ベラルーシ共和国の市民に聞いた話では、メーデーが終わって五月三日頃に原発事故のことが知らされたとのこと。放射性ヨードの半減期の速さを考えれば、取り返しのつかない一週間になってしまった。ミハイル・ゴルバチョフのペレストロイカ（再建）とグラスノスチ（情報公開）は、残念なことに辺境の地域には届いていなかったようである。

ベルリン映画祭からの招待状

成り行きとは恐ろしいものだ。チェルノブイリ被害の子供たちへ国際医療援助をしていたら、映画のプロデューサーにさせられてしまった。
映画『ナージャの村』(サスナフィルム、日本・ベラルーシ共同制作)は、一時間五十分の美しい映像でつづる、命の大地の物語である。監督は親友の本橋成一《もとはしせいいち》、語りは俳優の小沢昭一《おざわしょういち》、音楽はいっしょに二回ベラルーシを旅した小室等《こむろひとし》と、豪華な顔ぶれがそろった。

本橋監督は、ぼくらが誘ってチェルノブイリへ引きずり出した。彼ははじめの頃、イヤダイヤダ、もう二度とチェルノブイリへは行かないといっているうちに、ベラルーシにはまった。『チェルノブイリからの風』(ポレポレタイムス)、『無限抱擁《むげんほうよう》』(リトル・モア)、『ナージャの村』(平凡社)、と三冊のチェルノブイリの写真集を作りあげていた。その彼が映画を作るという。そしてぼくにプロデューサー役がまわってきた。

「ぼくは素人《しろうと》だから無理だよ」「映画がこけたとき、ぼくはお金もってないから他の人がいい」と懸命に逃げた。彼はぼくが映画大好き人間なのを知っている。ぼくは高校、大学時代、映画を毎年百五十本くらい見ていた。結局、わりと簡単に本橋成一にくどかれてしまった。

　チェルノブイリ原子力発電所が大爆発を起こし、大気中に拡散した放射性物質は北半球全体に広がり、特に隣接したベラルーシ共和国は、高度の汚染地帯となった。なかでもゴメリ州は汚染がひどく、ホットスポットと呼ばれる地域が点在している。強制移住区域に指定された場所からは、大勢の人々が故郷を去っていった。映画の舞台であるドゥヂチ村は、事故前には三百世帯が、自給自足のおだやかな暮らしをしていたが、今では遮断機によって閉鎖され「埋葬の村」「ゾーン」と呼ばれている。村は地図からも消えた。しかし、移住を拒み、故郷に暮らし続ける六家族がいた。

「人間が汚した土地なんだよ。ここから逃げ出してどうするんだ」ほとんどの住民は強制的に移住させられたが、何人かは頑《がん》として動かなかった。そういう人々をロシア語で、サマショーロ（頑固者、わがままな人）と呼ぶ。経済的な理由もあるが、何より故郷を愛しているから離れられない。

　ベルリンとモスクワを結ぶ線上に位置するベラルーシは、第二次大戦時ナチスの侵略に際して、ソ連の他のどの地方にも増して、深刻な被害を受けた。数十万人のベラルーシ人が殺されたといわれている。

「ひどい戦争だった。それでも村は残った。なのに、今度のチェルノブイリ事故ってやつは、オレの村を消してしまいやがる」と、村の古老は放射能汚染の恐ろしさを語る。年寄りだけで生活していると思ったぼくたちは、八歳の少女ナージャがいることに驚かされた。この少女を中心に、ベラルーシの汚染された大地の四季をありのままの形で映像におさめた。

チェルノブイリの悲劇を風化させず、世界の人々に伝えたいとぼくらは考えた。その方法として、小児白血病棟にカメラを入れるかどうか、何度も議論した。事故を起こしたチェルノブイリ原発を映した映像を入れるかどうかも問題になった。

そして、ぼくらが最終的に選んだ手法はそういった直接的でない方法だった。石棺《せきかん》と呼ばれる事故を起こした四号炉を映したり、ガイガーカウンターの数値を見せたりする手法を使わずに、チェルノブイリの悲劇をより正確に伝えたいと思った。

病気の子供たちに向けてカメラを回すか迷いながら、最終的にはカメラを回さないことにした。たしかに病気で苦しむ子供たちを撮ることはいちばんわかりやすく、多くの人に訴えやすい表現方法だと思う。けれども、撮られたくない、と思っている人もいる。ぼくらは、撮られたくないと思っている人へ、無理にカメラを向けないように注意した。

ぼくらの病院は田舎の病院だが、マスコミの取材も多く、いつも撮られる側に身を置いている。今回初めてぼくは撮る側に回ったが、撮られる側にいるときに感じていた複雑な思いを大切にしようと思った。

視《み》えない放射能を視る

汚染地区に住むことにおびえながら、そこに住まざるをえない人々の不条理に迫ろうとした。貧しいベラルーシの状態。ほとんど電気を使用しない、つつましい生活をしている人々が、大都市や国外へ電力を送るための原発の事故で突然、踏みにじられてしまった悲劇を、ひとつの現実として、ありのままに伝えたかった。

多くの評論家に、美しいと誉《ほ》められたナージャの家族がリンゴを採る風景。そのリンゴはピカピカに輝いていた。林のなかでナージャが採ったキノコも、お父さんが川でとった魚も、殺して食べたブタ肉も、家族総出で作ったジャガイモもおいしそうに映ってはいるが、放射能に汚染されている。

大地が汚染されると小麦が汚染され、食卓に盛られるおいしそうな黒パンも汚染されていた。映画のなかでクルチンさんが密造酒をうれしそうに造る光景が、観客の笑いをさそう。ぼくらが白いロシアといわれるベラルーシへ行くと、必ずこの自家製のウオッカ、サマゴンで迎えてくれる。しかし、このサマゴンも汚染されている。ぼくたちがいちばん驚いたのは、家のなかで汚染調査をしていたとき、最も激しくガイガーカウンターの針をハネ上げたのは、ペチカだった。黒い雨が大地を汚した。森や林が今も汚染され、森のなかで成長する木や枝が汚れ、そこで採る薪《たきぎ》が汚染されていた。

村の生活はハッと息をのむような美しいカットが連続する。埋葬の村で生活せざるをえない人々のありのままの姿を映す。ありのままを映すことで、その向こうにある不気味さを伝えたかった。

山形国際ドキュメンタリー映画祭や釜山《プサン》インターナショナル・フィルムフェスティバルなどから招待された。本橋監督が土門拳《どもんけん》賞を受賞したり、文化庁の優秀映画作品賞に選ばれたりした。そのうえ、なんと第四十八回ベルリン国際映画祭から招待されてしまった。『もののけ姫』などと同じように五回上映され、立ち見まで出て満員になった。大きな映画館で、五分ほど拍手が鳴り止まなかった。一万人を超える世界の映画関係者が集まる祭典である。ベルリン映画祭で賞はとれず、タキシードを着るチャンスを逃したが、おもしろい経験をさせてもらった。映画文化を大切にするヨーロッパでは、監督やプロデューサーがとても大切にされていることを知った。ヨーロッパを中心に、フィルムの買い付けがきた。世界の人々に見てもらえるチャンスがめぐってきた。

台湾の映画祭、ハワイの映画祭、ドイツの環境映像祭でも高い評価を得、いくつものグランプリをいただいた。そのほかにも、フランス、スウェーデン、ハンガリー、イランなど枚挙《まいきょ》にいとまがないほどたくさんの国の映画祭から招待を受けた。『ナージャの村』は好評にもかかわらず、九千万円の投資に対し、五千万円ほどしか今のところ回収ができず、苦しい台所状態がつづいている。とにかくお金がないＰＰＫなのである。ＰＫＯ（国連平和維持活動）やＰＫＦ（国連平和維持軍）ではない。「ピンピンコロリン」なのだ。スッピンピンのピンピンピンで、今やコロリ一歩手前。お金が欲しい。

臨界の地・東海村を訪ねて

『ナージャの村』の上映と講演会を、東海村に隣接する地域でやろうと話がもちあがった。原発産業のしがらみのなかで生きている地域で、『ナージャの村』は人が集まらないのではないだろうかと思っていた。会場を見て驚いた。人であふれていた。なんともいえない熱気のようなものが会場を支配していた。

上映会の呼びかけは那珂町《なかまち》の谷田部裕子さんから始まった。東海村の臨界事故のあった一九九九年九月三十日の夕方、校舎内で避難していた子供たちに集団下校の許可が出た。そのときちょうど雨が降りだした。谷田部さんは、玄関でずぶぬれになった中学二年生の娘さんを見たとき「こんな怖い思いをさせたのは、親の責任じゃないか」危険な施設があることを知ろうとしてこなかった自分を責めた。同じような怖い思いをした、たくさんのお母さんたちが協力を申し出てくれた。食べていくためのしがらみに、がんじがらめにされている男たちと違って、女たちは子供の命を守るために自由な発想をし、行動をする。時代を変えるのはこの母親たちなのかもしれない。

青い光

臨界の地を訪ねる日の前日、臨界事故にあった大内久さんが八十三日間の闘病のかいなく亡くなられた。とても悲しい日になった。公式発表ではないが、篠原理人さんが七シーベルト（放射線量の国際単位）、大内久さんが一六―二〇シーベルトの被曝《ひばく》をしているらしいと聞いていたので、生きているのが不思議だと思った。

お二人の「命」に思いをはせる。医師としての知識から想像すると、放射線熱のため皮膚は溶け、表皮だけにとどまらず、筋層《きんそう》まで潰瘍《かいよう》形成をしていたのではないだろうか。

人工呼吸器につないで、薬で意識を落とさなければ、とても耐えられないような苦しみのなかにあったのではないかと心が痛む。

二〇一〇年までに、あと原発を二十基つくりたいという国の威信をかけた、無茶な治療があったのではないか。生きてほしいと思う家族。何でこんなことになってしまったんだ、何も教えてもらえなかった、こんなに恐ろしいものだとは。なんとしても生きたいと思っていただろう大内さんの無念さを思う。

ホスピス医療や在宅医療を実践するなかで、現在の先端医療が内在する暴力性をいつも批判していたぼくは、毎日十リットル以上もの血液成分の輸液や天文学的量の鎮痛剤を投与する医学のあり方に疑問を感じた。つらく、苦しい地獄のような八十三日間だったと思う。それでも三十五歳の大内さんに、どんなことをしてでも生きていてほしいと思っていた。

日本で初めての臨界事故を、マニュアルに従わなかった数人の人為ミスで終わらせてはいけないと思った。まずはじめに、亡くなってしまった人に責任をかぶせておいて、一方で、死んだ人にムチ打ってはいけないという日本的寛容さで、すべてを水に流してしまうことが、この国の解決法として、今までよくあった。結局だれも責任をとらず、そして何も変わらない。今回は水に流してはいけない。すべての人間がときにはルールを守れないのだという前提に立って、この国の原発の安全は本当に守られているのだろうか、徹底的に検証する必要がある。

一九八六年四月二十六日のチェルノブイリの大惨事も、実にたわいない人為的ミスだと結論づけられている。あの大惨事のとき、日本の原発は大丈夫かという議論がわきあがったが、結局、旧ソ連の原発は、日本で使用している軽水炉と違って、黒鉛炉そのものに危険があるとか、設計ミスだとかいわれ、旧ソ連の原発は怖いが、日本の原発は安全という神話がひとり歩きしている。

軽水炉でも、米国のスリーマイル島で大爆発を起こしていることを忘れてはならないと思う。運よくメルトダウン寸前で事故を回避しているのだ。それ以来、アメリカでは二十年間、新しい原発を一基もつくっていない。軽水炉なら安全などと簡単にはいえないのである。大内さんの破壊された骨髄《こつずい》を末梢血幹細胞移植で回復させ、白血球数をゼロ近くから正常値まで戻した日本の医療技術は評価してよいかもしれない。チェルノブイリ原発事故の際に、米国の骨髄移植専門家ロバート・ゲイルが、モスクワの第六病院で十三人の重症患者に骨髄移植をおこなったが、効果はあまり見られなかった。今回はデータ上の成果をあげたように見えるが、その一方で、急性障害で起きた潰瘍や大腸の障害まで治すことはできなかった。医学的には一歩前進のように見えるが、一定量の被曝を超えたとき治療の限界も明確になった。臨界という「青い光」の恐ろしさがよくわかった。人間が勝てる相手ではないことがわかった。

　国の威信を背負った医師団の治療にもかかわらず、大内さんはつらかったと思う。「助けてください。助けてください。水をください」と叫ぶ、ヒロシマやナガサキのヒバクシャの声がだぶって聞こえた。丸木《まるき》位里《いり》・俊《とし》夫妻の描く、阿鼻叫喚《あびきょうかん》の地獄絵、「原爆の図」が思い出された。新聞の一行「想像を超えた鎮痛剤の使用」から、大内さんの断末魔の叫びが聞こえてくるような気がしてならない。

　映画が終わった。大内さんへの黙とうをおこなった。ぼくは緊張して舞台に立った。不安におののいている人々の神経を逆なでしないようにしようと、何度も自分にいい聞かせた。「他人の家に土足で踏み込むようなことはしないよう注意します」こんな自分への戒めの言葉から講演を始めた。反原発や脱原発の自分たちの理論を教条的に持ち込まずに、今回の臨界事故を共感的に語りはじめた。映画と講演が、傷ついた心に、不安感や不信感でいっぱいになった心に、癒《いや》しの時間と空間になるようにしたかった。

内側から見る核・外側から見る核

ぼくは静かに話しはじめた。一九五四年三月一日のビキニ水爆実験では、風下になったロンゲラップ環礁《かんしょう》の住民や、ビキニ近海で操業中だった日本のマグロ漁船「第五福竜丸」の二十三人を含めて二百九十四人が死の灰で被曝した。

「光は雲も海も船も、真っ黄色に包んでしまった。閃光が見えてから二時間くらい、ふと気がつくと雨のなかに白い粉のようなものが混じっている。粉は目や耳や鼻などに入り、手で払ってもへばりついたようになかなか落ちない」。第五福竜丸で被曝した大石又七さんはこんなふうに死の灰を表現している。

水爆の父と呼ばれるテラー博士は、死の灰の長期的影響についての質問に対し、「長期的影響などないのです。人によっては死の灰を浴びると、がんになるのではないかと想像する人がいます。しかし、それはまったくナンセンスです」

これを聞いた大石さんは「外から核を見ている者と、核のなかから核を見ている俺たち被曝者の思いには天と地ほどの違いがある。体のなかに入った放射能は、喜びや希望をみんな恐怖に変えてしまい、考えてみる余裕すら与えてくれないのだ。嘘だと思ったら水爆受けてみな。死の灰を飲み込んでから同じことがいえるのか、聞いてみたい。奥さんにも、そしてあなたのお子さんにも、お孫さんにも飲まして……。テラー博士の話を聞いていてそんな怒りがこみ上げてきた」と語っている。

科学者が住民を裏切り、強い立場に立ち、誤った科学的根拠を振りまわす愚行がときどきある。チェルノブイリ事故後、市民の目の前で汚染された川で泳ぎ、放射能なんか怖くないと偽りのメッセージを出したモスクワ科学アカデミー副総裁で、元ソ連邦チェルノブイリ対策総責任者のイリーン教授。国連の国際原子力機関から調査を依頼され、被害調査をまとめた広島の放射線影響研究所の当時の日本人委員長は、正確な実態調査をおこなわずに、「チェルノブイリ事故による健康被害はほとんど見られない。むしろ周りが大騒ぎすることによって、被曝ノイローゼが多くなりだしている」と原発を推進させるため、原発の健康被害がなかったと取りつくろっているような様子がうかがえる。

ポリネシアの政治家が「私はムルロアで泳いだが、体の調子はいい。今までの核実験もこれからの実験も何も心配はない」とテレビカメラに向かって話していた。学者や政治家は汚染された海や川で泳ぐのがどうも好きみたいだ。そういえば、東海村の臨界事故のときも、故小渕首相は東海村の農産物や海産物をおいしい、おいしいとはしゃいで食べていた。

汚染された川で一回泳ぐ危険がわずかであっても、そこに住む魚は二十四時間汚染された水のなかで生活をし、そこに住む住民はその魚を食べる。恐ろしい食物連鎖《しょくもつれんさ》の始まりである。学者や政治家はパフォーマンスで一回泳ぐだけだが、そこに住む子供たちは夏の間、毎日泳ぐ。

水俣《みなまた》でも阿賀野川《あがのがわ》でも同じようなことがくり返されている。ぼくたちは大石又七さんのように、不条理に風下に立たされた弱い人々の側に立つ医療者や科学者でありたいと思う。

そして被曝から半年後、乗組員の久保山愛吉さんが四十歳で再生不良性貧血で他界、二十三人の乗組員のうち八人ががんや白血病で次々に命を奪われていった。アメリカのネバダの実験場では、先住民のネイティブ・アメリカンが数多く被曝。公害に無縁な豊かな自然にあふれたマーシャル諸島の島民たちは、取り返しのつかない健康被害を受けてしまった。

八六年のチェルノブイリ原発事故後、私たちは被曝した子供たちを救う国際医療援助をつづけているが、美しいベラルーシの肥沃な大地で、無力の農民が、放射能汚染された作物を恐る恐る食べながら息をこらして生きている。いつの時代にも弱い人たちが風下にさらされている。

人間は原子力を使うまでにその人間性を深めただろうか

科学者も評論家も政治家も、核を外側からしか見ていない。『ナージャの村』は核を内側から見ようとしている映画である。東海村や那珂町の人々は、今、核を内側から見はじめている。

安全神話が浸透していた町に、年間数千円の危険手当が住民に支給されている矛盾に気がついた。危険手当がもらえる地域なんてそんなにはない。国がいくら安全宣言をしても、危険だからこそ、危険手当が住民に支払われているのだろう。不安になって引っ越そうと思っても、今回の事故で誰も家や土地を買ってくれない。

東海村の幼稚園では二人の園児が通園をやめた。ＪＣＯの隣のラーメン店は客がさっぱり来なくなり店を閉じた。「シートベルトをしめましょう」という看板を見ても、私たちは「シーベルト」とギクッとする、と笑い話が出た。電源三法による交付金や、原子力産業の六十億を超す固定資産税が、日本じゅうのどの村よりも豊かにしているが、異常に立派な公民館や図書館、テニスコートと引きかえに、町づくりの自由さを失ってきたのではないだろうか。本当に原発がなければ生きていけないのだろうか。

もう一度、立ち止まって考えてみたい。

身近な質問が次から次へと出されて、会場が勉強会にかわった。質問は限りなくつづいた。みんな不安なのだ。

「人間は原子力を使うまでにその人間性を深めただろうか」ぼくはベルナンスキーの言葉で最後をしめくくった。

母親パワーによるすばらしい自主上映会だった。勝田《かつた》から乗った電車の窓の外に目を向けると、深い闇が広がっていた。深い闇の向こうに、先はまだ見えないが夜明け前を演出するのは、この母親たちかもしれないと思った。

再会

二〇〇〇年四月二十七日、ぼくがチェルノブイリの放射能汚染地での健康診断のために日本を発つ前日、臨界事故の篠原理人さんの悲報が届いた。被曝による造血機能の低下に対しては臍帯血《さいたいけつ》移植が一定の効果をあげた。一時はリハビリをおこなっており、快方に向かっているという希望的な情報が流されていたが、肺炎による呼吸不全を起こしたり、放射線をあびた皮膚は、皮膚潰瘍を形成した大内さんとは違って、板のように硬くなり、腹部は自由に伸び縮みできなくなって内臓が圧迫された。硬くなった皮膚のために鎧《よろい》を着たような状態となって、腎臓など臓器不全を起こし、人工透《とう》析《せき》をおこなっていた。

意識を落とすために、天文学的量の鎮痛剤を使ったと思われる大内さんと違って、リハビリをおこなえるほど回復していた篠原さんは、鎧のように硬くなった皮膚に閉じ込められ、大内さんとは別の、想像を絶する苦しさやつらさを感じていたのではないか。そして同じような不条理を感じていたのではないだろうか。

悲しい日の翌朝、ぼくはベラルーシ共和国へ向かって飛行機に乗り込んだ。

ぼくは映画『ナージャの村』の次回作を、今年度じゅうにクランクインする予定のロケ地のブジシチェ村の老人の健康診断をおこなった。深い森をバスが走る。ガイガーカウンターが悲鳴をあげる。バスのなかの空気が凍りついた。みんなの顔に緊張が走る。形もない色もない香りもない放射能という魔物が森に住みついていた。崩壊した文明が足元にころがっていた。信じられないような百十五キュリーの高汚染が残っている森。ガイガーカウンターが不気味に鳴り続ける深い森を抜けると、人のいないはずの埋葬の村。そこは美しい丘の村だった。

八年前、最後の子供がこの村を去った。先生も去り、学校が廃墟になった。学校の跡地に一人立つ。悲しい。日本の過疎の村の廃墟になった分校と決定的に違うのは、校舎が跡形もなく消えていたこと。子供たちの思い出がつまった校舎はどこに消えたのか、村の古老に聞いた。森の木より放射能の汚染が少ないので、校舎の壁や床を、厳寒の冬を越すためにペチカで燃やしたという。悲しい話である。村からコルホーズ（集団農場）が消え、郵便局が消え、村に一つあった商店が消えた。地図からも消えた村に、四十六人のわがままな人々といわれるサマショーロが住んでいた。

健康診断を始めた。村の人々が集まってくる。みな、不安なのだ。「歩けない年寄りがいるから、家に来てくれ」喜んでその家に行く。諏訪中央病院が得意にしているスタイルだ。次々に声がかかる。夕方まで昼食も食べていないぼくらに食事をしていけと気配りがされる。森で採ったキノコのスープ。テーブルには野いちごのジャム。森の木がペチカで燃えていた。村人はこれまで、森と命の交歓をしてきた。美しい森に死がしのび込んできた。老人たちは森を抜ける川の魚をとり、山菜やキノコを採って食料としていた。どこの農家の庭にもリンゴの木があり、白い花が満開。ベラルーシは名の通り白いロシアであった。視《み》えない放射能に囲まれて、美しい母なる大地があった。もう命のリレーはこの村ではおこなわれない。若者のいなくなった村。もう子供が生まれることはない。学校は跡形もない。この村は完全なる崩壊に向けて、確実に一歩一歩進んでいた。悲しい。

ぼくらが支援を始めてちょうど十年の区切りとなるため、ベラルーシの専門家や行政、住民と円卓会議をおこなった。それまで、この国では白血病の子供は治ることはなかったが、七年間の寛解《かんかい》率が七十パーセントを超えたと聞いて、とてもうれしかった。円卓会議の様子がテレビをとおして全国に流れると、十年前のソ連邦の時代にぼくが訪問し診察した、白血病の当時八歳のウラジミル君が元気な青年に成長して、お母さんや親戚の叔母さんと訪ねてきた。十年前、ゴメリ州立病院の薄暗い白血病病棟の廊下で、お母さんから泣かれた。「このままではこの子は死んでしまう。日本へ連れていって、助けてほしい」

ぼくらは答えた。日本から薬を送る。専門のドクターを派遣して、この病院の支援をするから、信じて待っていてほしい。

お母さんはうれしそうに話してくれた。ウラジミルは日本から送ってもらった薬で七年間、再発していないと。涙、涙の感動の場面となった。家に招待され、自家製ワインとご馳走《ちそう》の山で大歓迎された。十年前のお母さんの涙は、子供の死を覚悟した悲しみの涙であった。この日もお母さんは乾杯といって泣き、ぼくたちが初めて食べたベラルーシの家庭料理を、おいしいというと泣き、このアパートに外国の人が来たのは初めてだといって泣いた。すべてうれし涙であった。どこの国でも、母の涙は重い。お母さんを裏切らず、十年前の約束が守れてよかったと思った。白いロシアでのすてきな再会だった。

がんばらない

ありのままに生きるということ

ぼくが住んでいる丸太小屋のなかに、一枚の大きなポスターが飾られている。重度知的障害更生施設「みずのき寮」と、千葉盲学校の子供たちの、東京都美術館での展覧会のポスターだ。

知的障害の人たちの絵は今までたくさん見てきたが、目の見えない人たちのすばらしい絵に驚いた。物が見えないということは、なんと多くのものを見ていることか。目が見えるぼくたちは物の表面を見ているが、目が見えない人たちは表面の裏側にひそんでいるものを表わしているような気がする。忙しい毎日のなかで疲れたとき、彼らの作品をながめているとほっとする。傷ついた人、病んだ人を癒《いや》す不思議な力をもった作品である。

「ワンダーアート（不思議なおかしな芸術）」、「アール・ブリュット（生の芸術）」、あるいは「エーブルアート（可能性の芸術）」ともいわれる、不思議なパワーをもった癒しの芸術がある。「癒す

(heal)」の語源はギリシャ語の「全体(holos)」といわれている。現代の医療が、治療はできても癒すことが難しくなったのは、患者の「全体」を治そうとしなくなったためだと思う。

現代医療に対して、臓器を見て、全体を見なくなったという批判が出だしてから、ずいぶん時間がたった。なるほど、人間の病気を治していこうとするとき、臓器からアプローチしていくのは、効率的で合理的な接近の仕方だという考え方もあるだろう。医学を進歩させていこうとしたときに必然的な手法なのかもしれない。

しかし医学は生物学とは違い、人間科学である。人間の疾病を部品の故障というようなデカルト的なとらえ方をせず、対象の個別性やその人が生きてきた歴史に配慮し、それぞれの「生きている意味」を尊重して、治療していくべきではないだろうか。障害者の「魂を癒す芸術」を見ていると、医学が忘れてきた全体への大切さを思い出させてくれる。

諏訪《すわ》中央病院に入るとすぐ目につく壁に、のびのびした書がかかげられている。これらの書は、院内のあちこちにかかっている。知的ハンディをもつ人々が暮らす施設、かりがね学園の「風の工房」でつくられている作品を中心に、五十点ほどの障害者の作品である。入院患者さんたちの癒しの空間になればと思って、かかげさせていただいた。

この書のひとつの言葉を見ると、ぼくはいつも心をひきしめる。

「がんばらない」

ぼくら医療者が重症な患者さんや末期の患者さんに、つい口に出してしまう言葉「がんばろう」「がんばりましょう」この言葉に勇気を奮い立たせる患者さんがいる反面、精いっぱいがんばって、がんばって末期をむかえてきた患者さんにとって、がんばれという言葉はとても傷つけることがある。

最初、この「がんばらない」という文字を見たとき、ぼくははっと胸をつかれた。知的ハンディをもった西沢美枝さんたちの「がんばらない」「生きている」「ありがとう」「ぼくのたましい」という作品は、力みのない悠々《ゆうゆう》とした筆づかいとともに、すごい迫力をもってぼくらの医療のあり方に問題提起をする。

多くの患者さんたちからも「不思議な勇気を与えられる」と声をかけていただいた。「あなたは、あなたのままでいい」「競争しなくてもいいですよ」と語りかけているようだ。

西沢さん自身がこの字を書くとき、筆が止まってなかなか進まなかったと聞いた。そんな彼女自身のためらいがこんなすばらしい字にしたのだろう。彼女自身の心が開放され、この作品を見るぼくらの心が開放されていくような気がする。

医者や看護婦がどんなに丁寧《ていねい》でやさしくても、病院というところにいるだけで、患者さんは緊張している。ぼくら医療スタッフががんばりますから、あなたはありのままでいてください、そういう気持ちをこの「がんばらない」という書に託したい。

諏訪中央病院のある長野県茅野《ちの》市には、蓼科《たてしな》や白樺湖《しらかばこ》をひかえた別荘地がある。別荘をアトリエにする著名な画家や書家から、病院はたくさんの作品の寄贈を受けてきた。しかし、病気にうちのめされた気持ちでいる患者さんに、大作は、ときとして威圧感を与える。

機会があったら、院内の廊下の突き当たりや、病棟の曲がり角をぜひ見ていただきたい。「いねむり」「ひょっこりお月さん」「ありがとう」「生きている」「はれです」書はイーゼルに立てかけられ、こちらを向いて、心にしみるなごみを分けてくれる。障害のある人たちは上手に書こうといった邪心がないから、こんないい作品をつくることができるのだろうか。

風景も仲間に引き入れて

諏訪中央病院は三年前に「病院快適宣言」をした。病院は清潔で快適な療養環境を整え、よい医療を提供する責務がある。手始めに院内の全面禁煙を実施した。院内を歩くと、いくつもの快適があふれている。

「個室的多床室」と呼ぶ四人部屋は、ベッドをずらして配置し、どの患者も窓に面した壁面をもてるように設計されている。せっかくの風景を、みんなに見てもらいたいからだ。窓の外には目の前に南北に長く延びる八ヶ岳の峰々が広がる。

待合室のラウンジからは外に出られるデッキが作られている。デッキは床も手すりも木である。患者は家族や友人知人たちと、ここでやすらぐ時間をすごす。屋上デッキで、気持ちよさそうに床に寝そべっている患者がいた。車椅子で出てくる患者もいる。自然林のなかに建てられたぼくらの病院では、デッキに出るだけで森林浴になる。緩和ケア病棟では、すべての病室からデッキに出られるように作られており、風景も仲間に引き入れて、癒しの手伝いをしてもらっている。ウッドデッキには、ホスピス・ボランティアやグリーン・ボランティアが手入れしてくれている鉢植えの花が咲いている。ここからは八ヶ岳の全貌が美しい。

ボランティアの人たちが、病院をぐるっと取り囲むように花壇を作ってくれた。名も覚えきれないほどのハーブも植えられている。患者さんたちは自由に花を摘み、病室に飾る。ハーブはパンにはさんで食べる。サラダをつくる。

地域リハビリテーション・センターの前の庭には、患者さん自身が花や野菜を植える。日本のアクティブな病院では大変珍しい園芸療法に取り組んでいる。そのために庭仕事の道具もそろえられている。

野菜の収穫祭がおこなわれるデイケア室には、麦わら帽子が大量に備えてある。建物の周囲だけでなく、山野草の専門家の清水さんが造ってくれた中庭の植え込みもいい風景をなしている。一年じゅう次々と花が咲くこの庭の前には、三月ツルシキミの赤い実、九月サワギキョウといった説明と、雪の季節を除いて、次々に季節を変えて花が絶えず咲いているように工夫されている。どの辺りに何の花が、いつ咲くという花地図も添えられている。

待合室の椅子が並ぶ脇には、畳が敷かれ、お年寄りが横になったり、小さな子供を寝かせたりできる。畳の待合室は評判がよい。手のぬくもりの感じられる建物、風の音、八ヶ岳の山々、病院をとり囲む庭、支えるボランティアなどの一つひとつが、諏訪中央病院の顔をつくっている。

芸術と癒し

一九九七年十一月、神戸で「カンファレンス・オン・アート・イン・ヘルスケア」が三日間開かれた。デューク大学医療センターのアートディレクター、ジャニス・パルマーの活動報告を聞き、芸術と人間性を統合して医療センターの活力を高め、芸術のもつ治癒《ちゆ》力を、病人や治療をする人に与えるための建築、視覚芸術、公演芸術、文芸などの多様なプログラムの多さに驚かされた。彼は難病や障害のある人々、またその家族、見舞い客、医師、看護婦、そしてすべてのヘルスケアに関わる人々に、プログラムの大切さに関する知識を広める活動を精力的におこなっている。

この会のために来日された、全米アート・イン・ヘルスケア学会名誉会長リン・ケイブルは、諏訪中央病院のホスピタルアート運動に非常に興味を示してくれた。ユネスコやWHOの協力で、ヨーロッパの病院芸術プログラムをつくり、ベラルーシ共和国でもホスピタルアート運動をおこなっていると聞き、ぼくが理事長をしているNGOの日本チェルノブイリ連帯基金も、ベラルーシで国際医療協力をしているので、意気投合した。

ぼくらの病院は、診断と治療だけのせまい医療にとどまらず、健康な人が健康でいられるための保健予防活動を充実させたり、多いときには年間八十回の健康教育活動「寄り合い」や「ほろ酔い勉強会」を通じて健康な地域づくりをしてきた。「ほろ酔い勉強会」百回記念講演には、画家の原田泰治《はらだたいじ》さんと歌手のさだまさしさんのコンサートや、トークショーが催された。そして、二〇〇〇年現在ぼくらの病院では年間千六百五十件の手術、一万五千件の時間外救急患者を診療し、周辺には老人保健施設、デイケアセンター、在宅介護支援センター、東洋医学センターなどを整備してきた。今では東京からも患者さんがやってくるようになった。八十点を超す美術品やハーブガーデンに囲まれ、病院らしくない病院をつくった。

二十四時間体制の在宅ケアをおこない、「自分の家で最期を迎えたい」というお年寄りの夢に応えられるようにもしている。たくさんの病院ボランティアが参加し、有名な音楽家による「ホスピタルコンサート」も開かれている。

障害者とともに生きるということ

ノンフィクション作家の鎌田慧《かまたさとし》氏が、雑誌に『楽《らく》ちゃんの悲しみ』という題で一文を書いた。「こんなことがあっていいのかと、私は怒っている」と書き出されている。ここに登場する楽ちゃんの主治医でもあるぼくは、鎌田慧氏の二倍くらい鎌田實《みのる》は怒っていると書き出したい。

一九九九年の暮れのことだ。ぼくが主治医を頼まれているダウン症の楽ちゃんが東京のあるアスレティッククラブに入会して、泳がせてもらおうと、付き添いの叔母さんと出かけた。

ところが今どき信じられないことに、クラブから「中学生以上の障害のある人はお断りすることにしている。ダウン症はふだんはおとなしくても突然あばれることがある」といわれ、門前払いされたのである。この原稿を書きながら、この国のあり方に悲しみと、なぜこんな国になってしまったのだろうかと、いきどおりを感じる。

楽ちゃんに付き添った叔母さんに、クラブのプールの受付係はこのように応対したらしい。

「レギュラー会員に入会したいんですけど」

「何歳ですか」

「中学二年だから十四歳ですね」

「すみません。中学生ですと、お父様かお母様がお申し込みになっていただかないと……」

「あ、そうですか。じゃ、申し込み用紙を書いてもらってくればいいですか？　じゃあ、今日は入れないですね。でも体験はできますよね。せっかく来たから今日は体験でお願いします」

「それでは千五十円の金券を買ってください」受付の女性はスタッフルームに引っ込み、スタッフの男性といっしょに戻ってきた。

「千五十円の金券を買えばいいのですね」

「学校はふつうの学校ですか」

「はい」

「クラスはふつうの学級ですか」

「はい、そうです」

「ダウン症ですよね」

「はい、そうです」

「そういった方の場合、今までいろいろ問題がありましたので、お互いにいやな思いをしないようにするため、初めからお断りするように、上からいわれています」

「じゃ、体験もできないんですか」

「はい」

「こんなの初めてです。ほかのクラブのプールにもよく行ってますし、いつも私がいっしょに来ますので大丈夫だと思いますけど」

「レギュラー会員のようなフリーの形ですと、いつもいっしょというわけにはいかないと思います」

「じゃ、レギュラー会員でない方法があるのですか」

「スクールを決めていただいて、そのスクールの先生と面接をし、ＯＫを出してもらえればできますよ」

「じゃ、それをやるにはどうすればいいですか」

「まず、電話で申し込んでください」

「わかりました。でも、とてもいやな気分です。こんなこと今までありませんでした。家に帰ってこの子の親に説明しなければならないので、もう一度いってください」

　受付の女性は、同じことをいう。

「楽ちゃん、今日だめなんだって。ごめんね」

子供たちが次々に想像もつかないような犯罪を起こす時代である。しかし、ダウン症の子が人を殺したとか、非行に走って人に暴力をふるったというのは聞いたことがない。多くのダウン症の子はおとなしく、音楽が好きで、体を動かすことを好む。ぼくらの老人保健施設「やすらぎの丘」にも、若いダウン症の娘さんがボランティアに毎日通ってくれているが、実にやさしい。どんなに忙しいときでも、ゆっくりした自分の仕事のリズムがある。それが、入所しているお年寄りにはたまらない魅力なのだ。

今を生きるぼくらは忙しいために、効率を優先して行動する。ぼくらは組織を維持しようとする。結局どこかに迷惑をかけてしまう。悲しい現実のなかで、効率を優先しないと、しかし、この構造のなかにダウン症の人がひとり入るだけで空気がホーッとするのである。施設を利用しているお年寄りが何よりもそれを肌で感じている。

ダウン症の子供は実にあたたかでやさしい。アスレティッククラブの人も、ちょっとダウン症の子とつきあってみればすぐに気がつくことだ。町のなかに開かれたスポーツ施設が、ダウン症の子を差別したとわかれば、大きな問題になるのではないだろうか。

楽ちゃんは今まで実に丁寧に地域で育てられてきた。保育園時代の仲間が応援してくれて、普通学級で小学校の六年間を過ごした。そこでもたくさんの仲間ができた。

仲間たちは楽ちゃんをよく支えた。しかし楽ちゃん以上にすばらしい心のお駄賃《だちん》をもらったのは、支えた同級生たちではなかっただろうか。楽ちゃんをとおして、生きるってどういうことなのか、人間ってなんだろう、友情とは……数えきれないほどたくさんの心の蓄えができたのではないだろうか。

楽ちゃんの中学の入学式の日は感動的であった。普通学級にするか、特殊学級にするか、親は迷っていた。しかし区立に進学する同級生たちの雰囲気にまぎれ込んで、すっかりその気になっている楽ちゃんを見て、同級生といっしょに普通学級に通わせることに決めた。

入学式の朝、校舎に入るとき、二階の窓から顔を出していた上級生の女の子たちが楽ちゃんを見て、「あっ楽ちゃんだ」といっせいに手を振った。後で聞いたら小学校の先輩たちが、楽ちゃんが入学すると聞いて待っていてくれたのだとわかった。保育園、小学校と地域のなかで育てられた楽ちゃんを支えるネットワークが、もうしっかり中学校につながっていたのである。

楽ちゃんのおばあちゃんには重い痴呆《ちほう》がある。この家にぼくが泊まると、夜中に必ずおばあちゃんが部屋に入ってくる。初めは驚いた。楽ちゃんの布団のずれを直したついでに、寝相の悪いぼくの布団のずれも直していってくれるのだ。はじめてのとき、だれか、ぼくのふとんのなかに入ってくるのではないかと思ってギョッとした。

楽ちゃんが赤頭巾ちゃんになり、おばあちゃんが無理矢理、オオカミの役をさせられた二人の手づくりの芝居を見ていると、あっ、おばあちゃんは楽ちゃんに支えられているなあとわかる。日本の多くのお母さんがやりつづけてきたお世話を、今もおばあちゃんは、楽ちゃんがいることで演じつづけることができている。人間って一方的に支えるなんてありえないことがよくわかった。支えたり支えられたりなんだということが、楽ちゃんをとおして理解できた。

ありのままに視るということ

楽ちゃんのお父さんは有名な写真家だ。映画監督もしている。彼が『チェルノブイリからの風』という写真集のなかで、楽ちゃんと楽ちゃんのお姉さんの游《ゆう》ちゃんへ向けて、こんなことを書いている。

父さんは写真家です。きみたちが生まれるずっと前から、この仕事をしています。美しく、ときにはきびしい大自然、そこで生きる人間やほかのおおくの生きもの、ぼくがなによりも好きな「人間」がつくりあげた町や村の風景、その生活。父さんは、まずその場所にいき、みて、きいて、感じて、そして写真をとってきました。写真をとろうと決心した若い日のことがおもいだされます。学校を卒業してまもないころ、九州の筑豊《ちくほう》の炭鉱で、作家のU先生にであいました。U先生は日本の近代化をささえてきた炭鉱と、そこで生きる人びとの歴史を、文学の世界であらわす仕事をされていたのです。U先生に、ぼくはあこがれました。写真の世界でU先生のような仕事ができたらいいなあ、とつよくおもいました。

U先生はいいました。

「写真をうつすということは、きみがうつしたいものと、きみがどんなつきあいかたができるか、だとおもう」と。

うつしたいものと、まずは、であわなければなりません。であったら、それとどんなつきあいかたができるか。つまり、写真をうつすときにたいせつなのは、性能のいい写真機ではない、それをつかう技術でもないのだということを、教えられたのです。

チェルノブイリへの何度かの旅のあいだ、ずっと考えつづけてきました。チェルノブイリ、チェチェルスクの町や村、そしてそこに住む人たちと、父さんはどんなつきあいかたができるのだろうか……。

はじめて「石棺《せきかん》」の前にたったとき、「ここにはもう二度とくることはない、きたくはない」とおもったのです。けれどもぼくは、もう一度やってきてしまいました。なぜ、またきたのか、游と楽にぜひきいてほしいとおもうのです。

父さんがうつしてきたチェルノブイリの写真を仕事部屋でながめていたときのことです。現像からあがってきたばかりの写真です。ルーペでのぞいていると、「石棺」の肩のあたりに何かが……。

「まさか……」

でも、それはたしかに植物で、小さく風にゆれているようでした。ぼくは、その植物をこの目でたしかめたいとおもってしまった……。

こうして今日、「石棺」と二度目の対面をしました。ファインダーをのぞいた瞬間、やっぱり植物だ！　すごくうれしくなりました。しかもそれは育っていたのです。その上、まわりにも小さな草が二、三本、風にゆれています。

游、楽、なんていうことだろうね。放射性物質をふくんだ、いってみれば病んだ塵《ちり》の中で根をはった植物たち。

……いのちというのはなんて不思議で、いとおしいのだろう。

写真機をかまえたぼくのほほをかすめて、やわらかいものがとびました。タンポポの種が「石棺」の前でたくさん舞っていたのです。

ぼくはこれからもまた、チェルノブイリにきます。そして、チェチェルスクで、みんなにあいます。いつも案内してくれるワシーリーさん、鹿狩りにつれていってくれるといっていたけれど、たのしみだな。おととい、偶然出会った結婚式、あのカップルにも、写真をわたさなくちゃ。おいしいサマゴンや塩豚をごちそうしてくれたニコライさんには、心臓の薬をたのまれているのです。

わすれちゃいけない約束が、ほかにもいっぱいあります。

ぼくはこれからもチェルノブイリとつきあっていこうとおもいます。そして游と楽にも、何かをつたえられたらいいなあ、とおもいます。

游、楽、ばくよりも何倍も想像力の豊かなきみたちは、父さんの写真をみて、どんなことを想像し、ふくらませていってくれるのでしょう。

そういうことが、「伝える」ことと「受けとる」ことだとすれば、父さんはそのくりかえしに夢をかんじます。

チェチェルスクにて

命とはなんと不思議で、いとおしいものかと思う。石棺に芽を出した草やタンポポだけでなく、ぼくを育ててくれた、たくさんの患者さんの命も、同じように不思議でいとおしいものだった。ぼくが主治医をしている楽ちゃんの命も、楽ちゃんの痴呆のおばあちゃんの命も、ぼくの命もすべての命が不思議でいとおしい。

写真家が楽ちゃんをどんなに大切にして育ててきたのかがわかる。そして、地域や学校が、今まで楽ちゃんに対してどんなにやさしくしてくれたかがわかる。

人間の健康にかかわる仕事をしているアスレティッククラブの人たちに、ぜひ体の健康だけではなく、心の健康の大切さも理解していてほしい。少なくともアスレティッククラブを運営している人たちの心は健康ではないと感じた。

こんなお医者さんが欲しかったんだ

全共闘運動はなやかなりし頃、ぼくたちは日本の医療を変えたいと、大学のなかで改革運動を起こしていた。しかし、連合赤軍をはじめとして、運動が尖鋭化していくなかで、自分が何をしたらよいのか、見えなくなっていた。ちょうどその頃、ぼくは自立して生きようとしている身体障害者の人たちに偶然出会った。

同じ頃、父親が身体障害の子供を殺害するという事件があった。その父親はもう何十年も息子を看《み》てきて疲れ果て、自分も老い先短くなってきていることを悲観し、子供を殺してしまったのである。マスコミは、社会が悪いから、福祉が足りないから、一生懸命看ていた父親が子供を殺したんだという、殺人を犯した父親擁護の論陣を張った。

そういうマスコミの報道について、彼らは「健康な人たちの論理だな」といったのである。殺されていく障害者の命は、すでに切り捨てられていた。守ってくれたお父さんがいずれ老いて看れなくなれば、一人では生きられないのだろうから、殺されても仕方ない。そう思われているのが悔《くや》しい。介護するのに疲れたのなら、どうして放っておいてくれないのか。そのあとどう生きるかは、殺された障害者自身の問題だ。将来が不安だから殺したというのは、あまりに一方的だと主張した。そこまで、父親を追い込んだ社会が悪いのではないかときれいごとに考えていたぼくは、そのときハッとした。ぼくのなかで殺されていく障害者のことが完全に欠落していたのだ。ぼくはもう少し目を見開いて、もうひとつ裏側を見られるような医者になりたいと思った。

七年前の秋、長野県のボランティア研究集会で不思議な存在感をただよわす、すてきな女性に出会った。

障害冥利！

〝あなたと歩くと楽しいわ〟
と　友がニコニコしている
〝どうして？〟って私
〝だって道行く人たちが皆んな

ふり向いて　見て行くの
まるで　世界一の人気美人スター
になったみたい！〃
と　はしゃいでいる友

〃私が障害者だからよ
障害のおかげよ〃
と　言うと

〃そうね〃って
友は　にっこりしている

私　負けないくらいに
顔　クシャクシャに　ニッコリして
〃そうよ！　障害冥利《みようり》に尽きるわよ！〃
って　言った

〝ずっと　お友だちでいてね〟
友は私の肩を「ポン！」
と　たたいた

このふうちゃんの吹きぬけるような明るさに、たくさんの人が吸い寄せられるように集まった。

最近、谷川俊太郎が自分の詩を朗読することに喜びを見出しているように、脳性麻痺《のうせいまひ》で両手が全く動かないふうちゃんも、自分の詩を自分の足でキーボードを弾きながらすてきな詩をトツトツと朗読する。首を横に傾けながら絞り出すように声が生まれる。これがまた、ものすごい存在感なのだ。

障害予報

一年前　障害者でした
今日　障害者でした
明日　たぶん　障害者でしょう

雨の日ありました
そんな日は　つらかった

曇の日もあるでしょう
人生という空のしたで

心の天気が変わっても
晴の日を信じて

ひとを愛し　自分を愛し
ちょっと変わった身体だけど
この身体　まるごと愛して

障害予報　雨のち晴れに……
なると　いいね

昨日　障害者でした
今日　障害者でした
明日　たぶん　障害者でしょう

ふうちゃんが、こんなふうにすべてを受容する前には、すさまじい葛藤《かっとう》もあった。

〝女の子〟のとき

母さん
もう何年前になるのかな
〝女の子〟のときに　いつも思いだす
母さんのことば

〝やっかいだから
たいへんだから
手術しなさい……〟

何も言えなかった　あの頃の私
母さんの心　見えるから
〝しようかな〟とも……
…しなくてよかった　と
今　思います
瞬間でも〝しようかな〟と
思ったことを　恥じてます
毎月〝女の子〟になると思います
〝ああ　よかった〟……と

（『ふうちゃんの詩《うた》〝女の子〟のとき』冨永房枝著
グループ「凮のオーラ」編　かど創房）

二十七年前、医者になりかけのぼくに、たくさんのことを教えてくれた自立をめざす脳性麻痺患者の「青い芝の会」の詩人の言葉が鮮明に思い出されます。

「ぼくにとって、セックスを考えること自体タブーだったわけです。むしろ考えてはいけないというか。よっちゃんは結婚できる体じゃないんだと、だから結婚しちゃいかん、恋愛まではいいけど結婚なんか考えちゃいけない。よっちゃんは結婚できる体じゃないということは、セックスできないとみてるわけでしょう。うちのおじさん、おもしろいよ。オレが恋愛するとね、恋愛しちゃいかん、結婚しようとすると、さっき言った通り、恋愛はいいけど結婚はしちゃいかん、今度結婚して子供をつくることになったら、結婚はいいけどガキつくっちゃいかん、と言いやがんの。あれどうなってんのか。二人目つくるって言ったら、一人はいいけど二人はつくっちゃいかんてことになるのかな」

二十数年の月日はなんだったんだろう。障害者の生活、仕事、スポーツ、性、何も変わってこなかったのだろうか。「がんばらない」と書いた美枝さんも、社会の冷たい目をいくつも乗り越えながら、「がんばらない」に達した悲しい現実が見えるような気がした。楽ちゃんのプールも、ふうちゃんの『〃女の子〃のとき』も、よっちゃんの子供をつくる話もあまりにも悲しい。それでもあきらめずに波状攻撃をしかけながら、社会や時代を変えていかなければならない。いつか、楽ちゃんが泳ぎたいと思ったときに、泳げる国になりたいと思う。

ふうちゃんの詩集の裏表紙に、よく動く、美しい足でサインをしてもらった。

かまた先生へ　こんなおいしゃさんが　ほしかったんだ

風子　一九九二・六・十二

うれしかった。ふうちゃんをがっかりさせないようなお医者さんになりたいと、そのとき思った。

男のロマンと女の不満

ぼくが住んでいる茅野市は、八ヶ岳と赤石《あかいし》山系に囲まれた諏訪盆地にある高原の小都市である。縄文の時代、諏訪湖は今よりも大きく茅野市に張り出していた。

当時、気候は温暖で、ヤジリにする黒曜石も採れ、水にも恵まれていた。このあたり一帯は縄文銀座といわれ、八ヶ岳山麓は日本で最も人口密度の高い地域だったらしい。

信州は唐松《からまつ》の林が多いが、遺跡のまわりには広葉樹の雑木林が残っている。その雑木林にひとり佇《たたず》んでいると、縄文人の話し声が聞こえてくるような気がする。八ヶ岳の裾野は広く美しい。ここに無数の遺跡が出土している。今から五千年もの昔、縄文人は厳しい自然環境のなかで、病や死を、この大地で、どのように受けとめていたのだろうか。縄文人の作った土器の豊饒《ほうじょう》さや、八ヶ岳山麓から出土した縄文のビーナスの命の躍動感には、ただただ驚かされる。

この時代の平均寿命は十八歳ぐらいだったといわれている。Length of Life（命の長さ）は、とても短いものだった。しかし、Quality of Life（命の質）は、決して貧弱なものではなかったのではないだろうか。「尖石遺跡《とがりいしいせき》」の炉跡から推測すると、三百軒、千五百人ほどの縄文人がムラを形成していたという。信州の山あいの地が太古の人間たちになぜ好まれたのだろうか。ぼくは東京から信州に移って二十六年、的確に表現できないが、縄文人の気持ちがなんとなくわかるような気がする。縄文人の集落が点在する山麓で、命の誕生と死は無限にくり返され、現代を迎えた。

病院は嫌いだ

正武《まさたけ》さんは縄文時代の「阿久遺跡《あきゅう》」のすぐそばの林に住んでいた。「病院は嫌いだ」とわがままを貫き通して入院せずに、七十九歳であの世へ帰っていった。ぼくと彼とは十三年間のつきあいだった。

一九七九年、オリーブ・橋《きょう》・小脳変性症の診断でつきあいが始まった。今の医学では治す方法がないことを告知した。「数年中には歩けなくなるかもしれない」とぼくが悲しい予後を告げる。安易な説明で嘘をつきたくなかった。正武さんも家族も、ぼくの話をしっかりと受けとめてくれた。平衡《へいこう》感覚が失われてくると、話し言葉も意味不明となり、こちらのいうことはすべてわかるが、正武さんの言葉は徐々に聞き取れなくなっていった。足を広げて歩くことで、倒れないように注意していたが、三年ほどすると、ひとりでは歩けなくなった。どんなに具合の悪いときも「入院したくない」との本人の望みで、妻と嫁と息子、孫たちがよく支え、病院の訪問看護と往診を楽しみにしていた。

ここから驚異の努力が始まる。放置されていた乳母車に自分でブレーキの杭《くい》を取り付け、それから七年、これにつかまって体重をかけながら彼は歩いた。数年中に歩けなくなるだろうという、ぼくの予測を大きく超えて歩きつづけた。

彼はこの秘密兵器の乳母車につかまり、庭先にあるウサギ小屋に毎日通い、五十匹のウサギの世話をしていた。ぼくの二人の子供は、小さい頃、正武さんからいただいたウサギを飼っていた。

ぼくが往診に行くと毎回、同じ話になる。「ウサギが大きくなったので、今月は五匹、農協にもっていった」

自分はウサギを売ることで家計の力になっていると、うれしそうに話してくれた。家族に迷惑ばかりかけているのではないと、彼はいいたかったのだろう。

すると横にいた奥さんがぼくに、旦那に聞こえるか聞こえないかのような声で耳うちをする。「農協で買う餌《えさ》代のほうが高くて。早くウサギ飼うの止めてくれりゃいいのに」

毎月ののどかな光景である。冷たくなった夫婦の会話ではなく、なんともいいようのない微笑ましい会話だ。おばあちゃんのはじいたソロバンは正しいと思う。男はくだらないところで夢をみようとする。どんな時代でも女の生活を見る目のほうが正しい。

それに、いかにもおじいちゃんがウサギを飼っているように見えたが、実際はおばあちゃんが糞《ふん》の掃除をしたり、餌を用意したり、ウサギを農協へもっていったりしていた。苦労していたのは、おじいちゃんではなく、おばあちゃんだったのかもしれない。

「男のロマンと女の不満だな」とぼくは独り言をつぶやく。

ある日、正武さんと二人だけになったとき、彼が静かな声で「先生、俺がなんでウサギ飼っているか知ってるか」と聞いた。

ぼくは「家族の一員として、家計に貢献するため稼いでいるんだろ」と答える。彼は顔を横に振った。

彼はぼくにたどたどしい言葉で熱っぽく語る。「自分の育てたウサギは、農協から大学の研究所に売られていく。もうこの病気は治らないと思っている。だけど、ウサギが新しい治療法の発見に役立つかもしれない。自分と同じ病気の若い人には、自分と同じ苦しみは味わわせたくないんだ。少しでもこのウサギが役に立って、難病の子供たちを助けられる時代が来てほしい」

彼は難病でありながらも人の役に立ちたいと、温かな夢をみていた。人間ってすごいなあとそのとき、ぼくは素直に思った。田舎のじいちゃんがすごくかっこよく見えた。

正武さんは亡くなる三年くらい前から、乳母車につかまっても歩けなくなってしまった。家のなかでハイハイの移動となった。朝起きると、老人部屋から台所に置いてある炬燵《こたつ》のじいちゃんの特等席に、ハイハイしてくる。孫や子供たちはここで朝食を食べて出かけていく。

孫は学校から帰ると、ここでじいちゃんといっしょにオヤツを食べる。彼はいつも家族といっしょだった。

この家のトイレは和式だった。ぼくは大学で、障害者は洋式のトイレかポータブル・トイレがよいと教えられていた。しかし、この和式のトイレが彼には適していた。ハイハイでトイレへ行き、金隠しの上に直接座ってしまうと、大便も小便も、お嫁さんや妻に手を貸してもらわないですんだ。排泄が自立しているということが、彼の家庭内での発言権の大きさや、プライドを守るのに大きく役立っていたと思う。誇りは人間が生きていくとき、とても大切なものであることを教えられた。

病気はさらに進行し、水分を飲むとむせるようになった。だが、いも汁のようなトロリとしたものといっしょだと、上手に飲み込めた。食事に工夫をしたが、それでも誤飲のために肺炎を繰り返した。熱が出ると抗生物質の注射をもって、じいちゃんの家へ出かける。

「肺炎だから入院しませんか」とぼくが聞く。じいちゃんは毎回首を横に振った。これが正武さんの生き方なのだ。日本の多くの病院では、こんなわがままをいう患者は相手にしてくれない。見捨てられてしまうのだ。ぼくは遅ればせながら悟りはじめた。ぼくが感じていたよりはもっと深いところで、正武さんは自らの命を見つめている。小脳変性症という病気が治せないのに、肺炎だけ治すために入院する気にはなれなかったのだ。死にたいわけではなかった。好きな自分の家で生きたかったのだ。ぼくらは長時間作用性の抗生物質をもって毎日点滴に行く。正武さんの「家にいたい」という選択に応えるために。奇跡は何度も訪れてくれた。

ぼくら医療者はつい、肺炎という疾患《しっかん》だけをとり出して、入院が必要という常識をふりかざしてしまう。彼は自分の命全体を見つめながら、多様なファクターを多重に分析し、入院が必要かどうか考えていた。ぼくら医療者はこの患者のわがままをもっと大切にしなければいけない。

正武さんは何回もの肺炎を奇跡的に乗りきったが、徐々に体力を消耗し、呼びかけにも答えられなくなり、奥さんやお子さんやお孫さんに囲まれて静かに息を引き取った。彼の病気はつらいものだったが、最後まで自分らしさを失わなかった。自分の思うように生きた。そして死んだ。自分色にきれいに染めていったように思う。

家とか地域には、夢とかプライドを支える不思議なパワーがあるのではないか。ぼくが無理やり彼を入院させていたら、病院のなかをハイハイすることはできないので、ベッドだけの生活となり、下の世話も看護婦から受けるようになっただろう。夢やプライドを彼から奪わずにすんでよかったと思う。彼や彼の家族からは実に多くのことを教えられた。

生物は「体内時計」をもっているという。四季ごとの植物の開花や落葉、鳥の渡りなど、生物周期を決める時計。縄文人のもっていた体内時計は、ゆっくりと自然で、しかも正確な野性の時計だったのだろう。彼らの体内時計には、死もインプットされていたのではないだろうか。ぼくら現代人の体内時計にも、死は仕掛けられているはずであるが、その仕掛けに気づかない人間が多くなっている。

正武さんも、太古の人間と同じような体内時計をもっていたのではないだろうか。死の二日前、往診のときに呼びかけると「ああー」という返事が返ってきた。彼の顔は「先生そろそろだよ」といっているような気がしてならなかった。不自由になったぶんだけ、彼の感性はとぎ澄まされ、野性の体内時計を無意識のうちに感じていた。阿久遺跡の近くの村に住む老人は、縄文人と同じ八ヶ岳山麓の大地に帰っていった。

八十九歳の難病のじいちゃんの株式投資

左側に車山《くるまやま》や蓼科山を遠くに見ながら、八ヶ岳に向かって訪問看護の車が走る。原《はら》村の平二郎《へいじろう》じいさんと、とく江ばあちゃん夫婦が、午前中の訪問看護四件目のお宅である。

「人間らしく老いること、そしてそれぞれ私たちの年齢にふさわしい心構えと知恵をもつことは、ひとつのむずかしい技術である。たいていの場合、私たちの心は肉体よりも年とっているか、遅れているか、どちらかである。このずれを修正してくれるもののひとつに、内面的な生の感覚のあの動揺、人生のひと区切りや病気の際に私たちを襲うあの根源的な戦慄《せんりつ》と不安がある」（『人は成熟するにつれて若くなる』フォルカー・ミヒェルス編　岡田朝雄訳　草思社）とヘルマン・ヘッセは語る。

平二郎さんは明治の最後の生まれ。八十九歳である。奥さんのとく江さんは一歳年上の姉さん女房だ。十六年前、平二郎じいちゃんが外科で入院中、歩き方がおかしいといわれ、ぼくははじめて診察をさせてもらった。平衡障害があって、正武さんと同じ、オリーブ・橋・小脳変性症の難病と診断した。徐々に歩けなくなった。今のところ、治療法がないと正直に説明した。

治らない病気。動揺、不安が彼を襲う。しかし、彼は負けなかった。歩けなくなった後も、彼はハイハイで泥だらけになって野良へ出る。

見事な記憶力でしっかり者のとく江さんのほうは、九十歳になったんだから楽にしていたいと、できるだけベッドのなかにいたがる。なんでもやれる力が残っているが、「わしゃ、いいわい。楽していたい。この年でがんばってどうする」とベッドから出ようとしない。

とく江さんだけでもとデイケアに誘うが、人のなかに出るのは億劫《おっくう》だといって拒絶する。彼女はいろいろ調べても病気らしい病気はない。強いて挙げれば、骨粗鬆症《こつそしょうしょう》のため、腰が曲がっている。使わないため、筋肉がやせてきた。

病気が進行して、うまくしゃべれなくなった平二郎さんは、十年前からワープロを使って日記をつけ、ぼくに手紙をくれる。ワープロも二台目で、最新機能のついた機種を使っている。いつも前向きなのだ。

毎日、寝巻から洋服にひとりで着替えて、寝室でなく居間で生活をする。生活がきちんとしている。

とく江さん。

「ワシの顔をみるとオメシがまずくなるなんて、じいちゃんはひどいことをいう」と、難病のじいちゃんに助けをかりる。

きた。トイレに行くのにひとりで起き上がれず、難病のじいちゃんに助けをかりる。

「ばあちゃんに、夜起こされて眠れない」と怒っている。ばあちゃんは足腰が弱って

「オメエが……」二人で喧嘩しているが、小脳症状があるため、何をいっているかわからなくなる。難病を克服してがんばっている自分に比べて、病気でもないのに寝たきりになりかけている妻に歯ぎしりしているのだ。

「ズクがない」と何度もいう。ズクというのは信州の方言で、根気とか根性とかに近い。ぼくらは九十歳だから仕方ないかと思いながらも、平二郎さんに味方をして、

「ばあちゃん、がんばれ」と声をかける。

居間は太陽がいっぱい当たり、微笑ましい空気が漂う。テーブルに置かれたワープロをのぞくと、折れ線グラフが見えた。不思議に思って「平二郎さん、何やってんの」とぼくが聞く。本当に驚いた。そして感動した。「何って、株だ」

自分のもっている株の値動きをプロットして、折れ線グラフを作っているという。売ろうとか買おうとかいったことを自分流に考えているらしい。もちろん小脳の病気なので、大脳はやられていない。平二郎さんの判断力は落ちていない。歩けない、字も書けない、しゃべることもうまくできない八十九歳の平二郎さんが、株式投資をし

ているると聞いてうれしかった。

十八年前、ぼくらは地域を走りまわって訪問看護を始めたとき、いちばんの目標は何だったか。「その人らしく生活する。その支援をしよう」だから、この光景を見たときに、すごくうれしかった。これだと思った。ぼくたちが目指していたのは、こういうことだったのだ。株がいいとか悪いとかは、それぞれの人生観だ。障害者が、株をやるなんてけしからんと、思う人もいるかもしれない。大事なのはその人の人生で、ぼくの人生ではないということ。その人が生きやすいように、生きたいように生きていくこと。それを支援していくことが大事なんだと思う。

ぼくたち医療者が自己満足するやり方ではなく、患者さんがその人らしく生きつづけ、生きることの意味を見出せる、生きていてよかったと思えるように心を配ってきた。これからもそれぞれの精神の自由を大切にしたいと思う。

家で誰に遠慮もなく、やりたいことをやっている平二郎じいさんの生き方は、オシャレだなあと思った。ヘルマン・ヘッセのいう、年齢にふさわしい心構えと知恵をもつ技術を、平二郎さんは小脳変性症という難病を克服するなかで、身につけたような気がしてならない。人はいかにしてよく老いることができるか。ひとつの解答を見た気がした。

「先生にビールやっておくれ」

　九十四歳の山根のばあが亡くなって、そろそろ一か月がたとうとしていた。今日は、山根のばあのお悔み訪問だ。家へおうかがいする。家族にとって、死後の行事が一段落して、ぽっかり心に風穴があいて、寂しさがつのる頃。病気をいっしょに闘った戦友のような地域ケア室のドクターや看護婦さんが、お線香をあげにおうかがいすると、ご遺族の方はとても喜んでくれる。お悔み訪問のために、諏訪中央病院というハンコが押された専用のお線香がいつも用意されている。

　山根のばあは名前の由来どおり、山の根もとの開かれてない地域に移住して、苦労をして開墾《かいこん》をした。小さなおばあちゃんだったが、声は大きくいつもひょうきんな、おもしろいおばあちゃんだった。訪問診察をして、お茶を一杯いただいておばあちゃんに、「ごちそうさま、ウマカッタ」というと、「ウシ　マケタカ」と九十四歳のおばあちゃんが、ユーモアたっぷりに返事をしてきた。人をもてなすのが好きなおばあちやんだった。

開墾していた頃、おばあちゃんはお餅《もち》をついたりしておやつをつくると、竹竿《たけざお》の先に黄色い布きれをひるがえして、みんなをお茶に呼んだ。山根のばあちゃんの、黄色い幸せのハンカチである。幸せの黄色いハンカチがひるがえると、開墾をしていた地域の人々は、鍬《くわ》をおいて手を休め、山根のばあの家に集まり、お茶をいただいた。山根のばあは誰が来ても、「お茶飲んでけ」と声をかけた。宅配便のおじさんが来ても、物売りのおばさんが来ても、「お茶飲んでけ」というので、娘が「あの人知ってるの」と聞くと、「知らねえ。でも、家に来たんだからお茶飲ませてやってくれ」これがおばあちゃんの人生観であった。

山根のばあは、六月頃から食事の量が減ってきた。親身になって世話する子供たちもぼくらも、いよいよ時が来たように感じた。ばあのベッドの、目の前の窓のツツジが、満開に咲き誇っている。山根のばあを囲んで、ご馳走《ちそう》を並べてみんなで最後の花見の会になった。人寄せの好きな山根のばあにとって、楽しいひと時であった。それから一か月後、心不全が起き、ゼイゼイとばあちゃんの息が苦しそうになった。最期は大好きな自分の家で看取ろうといっていた家族が、揺れ始めた。おばあちゃんを苦しませたくないと迷った。

娘が「ばあちゃん、病院へ行くかい」と聞くと、山根のばあは「靴下さえはかせてくれれば、いつでも行ける」といつものひょうきんな答えを返した。ぼくもスタッフも自宅にこだわって看取るつもりでいたが、おばあちゃんのひと言で、この例に限って、穏やかな看取りにするために、病院へ移ってもらうことに決心がついた。数日の入院後、病院で穏やかに最期の息をひきとった。

亡くなる前の日にぼくは病室へ訪れ、「ばあちゃん、ばあちゃん、来たよ、ぼくだよ」と大きな声で呼びかけると、山根のばあは大きな目を開け、うれしそうにニコッと笑った。いよいよ臨終が近いと覚悟して、集まってきている娘や親戚たちが、おばあちゃんが最期に、何といってくれるのか固唾《かたず》を呑んで目をこらしていると、虫の息の山根のばあの口が開いた。「先生にビールやっておくれ」

病室の空気は一気に和んでしまった。目を真っ赤にして、涙をこぼしていた娘たちがズッコケた。

山根のばあにとって、病室だろうが自宅だろうが、ちっとも変わりはなかった。ぼくら医療者は、どこで看取るかにこだわりをもっていることが多い。病院の医者にとっては、病院での死しか考えられず、在宅医療をしている医療者は、在宅死が最高と考えていることが多い。しかし、看取りの場所は多様であってよいのである。大事なことは、病院や施設の死でも、家族や友人に囲まれ、家庭のような雰囲気のなかであの世に行けることなのかもしれない。

亡くなる前の日から、部屋からあふれるほどたくさんの娘や孫や親戚に囲まれ、ばあちゃんが自分の家でよくいっていたような、人をもてなす言葉「先生にビールやっておくれ」のひと言が、病室の空気を、自分の家の空気に変えてしまったように思う。ズッコケて、肩の力が抜けた。病室があたたかな空気に包まれた。あのばあちゃんの最期の言葉には参ったなというのが、親戚の口癖になった。

山根のばあが亡くなった後、娘さんが訪ねてきて、「先生、おばあちゃんが私たち子供に命じた『先生にビールやっておくれ』という最後の約束を守りにやってきました」といった。あの世から、山根のばあのビールが我が家に届いた。山根のばあの、若い頃にした幸せの黄色いハンカチの心意気は、娘たちに受け継がれている。ばあちゃん安心してください。

お礼をいただかないようにしている病院ですが、山根のばあのビールは特別です。喜んで飲ませていただいた。

「ビール、ウマカッタ」さびしいです。「ウシ　マケタカ」の声はもう聞こえません。ばあちゃんありがとう。合掌。

医療が変わる

看護婦さんと穴あき紙パンツ

ぼくの住んでいる丸太小屋の南斜面に小さな林が残っており、その林の向こう側には、棚田が広がっている。美しい田園風景である。農薬の量が減っているのか、毎年少しずつ蛍の優雅な舞いが見られるようになった。うれしいことだ。

今から二十年ほど前、患者が少なくて病院が赤字で喘《あえ》いでいた時代、大腸ファイバーの検査をすませた患者さんが、どうしても鎌田に会わせろといってきかないと、電話が入った。

ぼくが外来でフォローしている、中小企業の社長さんだ。何か怒られるのかと緊張していると、「先生、この病院はいい病院だなあ」と切り出された。「今までほかの病院で大腸ファイバーの検査をしたけど、パンツをはかせてくれたのは初めてだ。パンツはいいなあ、すごい発想だ」

ぼくは突然ほめられて面食らった。

「それに大腸検査の途中で、おなかに空気を入れられて痛がっていると、看護婦さんが背中をさすってくれた。あまりの痛さに怒鳴《どな》って止めようかと思っていたところに、ぼくの好きな北島三郎の曲が流れてきたんだ。なーんでこの看護婦さんはぼくの好きな歌を知っているのかと思いながら、曲を聞いてるうちに痛みを忘れ、無事に検査が終わった。すごい病院だ」

さっそく内視鏡の看護婦さんを呼び、「彼がほめてくれたよ。患者さんの好きな曲をどうして知っていたの」と聞いた。

看護婦は口をぽかんと開けて、不思議そうな顔をした。「大腸ファイバーがS字結腸のところでなかなか越えられないので、ドクターをリラックスさせようと思ってやったんです。音楽がお好きなので、音楽を流せば気持ちが落ち着かれるかと思って、ラジオをひねったんです。だけど、北島三郎の曲が流れてきたのでしまったと思って。ドクターはクラシックが好きで、演歌が嫌いなのを知ってましたから。でも患者さんがあまりにもうれしそうな顔をなさったので、消さなかったんです」

その頃、内視鏡の看護婦たちは紙パンツを買ってきて、後ろをハサミで穴を開け、その紙パンツを患者さんたちにはいてもらっていた。ドクターたちはがんを見落とさないように、ファイバーの先端に神経を集中させ、がんを見つけるためには、患者さんの下半身が丸出しになっていても当たり前と思いこんでいた。お尻からファイバーが入る穴が開いていればパンツをはいていてもいいというのは、医師には思いつかない看護の視点だと思った。前が隠れているだけで、男性も女性も大変安心をしてくれた。

多分、この患者さんはほかの病院で、すっぽんぽんで検査をさせられた経験から、紙パンツをはいたときから、この病院は何かが違うと感じたのだと思う。

ひとついいことがあると、人間はいいほうへいいほうへと解釈してくれることを、この事例で学んだ。これほど気配りをしてくれるんだから、自分の好きな曲をこの病院の看護婦は知っているんだろうと、患者さんは思いこんでしまったようだ。

その後、この手作りの紙パンツは、カネボウサンエスから内視鏡・注腸検査用穴あきトランクスとして発売された。この穴あきパンツを考案した看護婦は特許もとらず、企業が商品にしたいといったときに「いいですよ、自由にどうぞ」のひと言。

特許をとっていたら、彼女は巨万の富とはいかないまでも、小さな富は得られたかもしれない。その後、彼女は次々に新しいものを作った。胃カメラを吞む前に、どんなふうにすると楽に吞めるか、カメラで何が見えるかなどの、検査の前に患者さんに見てもらう「プロモーションビデオ」を作った。それに今も全国で使われている「潰《かい》瘍《よう》手帳」も彼女が考案した。

消化器グループの先生たちの優れた技術と、患者さんサイドに立った気配りのきいた看護があったことが、諏訪《すわ》中央病院を再生させる大きな原動力になったように思う。

自分の利益を顧みず、患者さんの立場にたった看護婦さんに、ぼくらの医療は支えられてきた。この気配りの看護婦さんは、二〇〇〇年の今年定年を迎えた。ハッピーリタイアメントを心より祈っている。ご苦労さまでした。

殺してくれりゃよかった

病院の待合室の中庭に山野草の庭がある。雪のない季節の三月から十二月まで、いつでも中庭のどこかに、可憐《かれん》な山野草が一輪咲いているように計算された庭がある。十一月初め、アズキナシが赤い実をつけ、ホトトギスが赤紫色の花を咲かせている。人生は地図のない旅とよくいわれているが、所々に道しるべが置かれている。それぞれの人生のなかに、命の道しるべの経験があると思う。ぼくの人生の道しるべを話そう。ぼくが青年医師の頃の話である。

意識のない脳卒中の患者さんが、救急車で運ばれてきた。ぼくは家に帰らず必死に治療した。和助《わすけ》じいちゃんは、危篤《きとく》の状態を乗り越え、リハビリも大変うまくいって二か月後、杖をついて、少し足をひきずって退院していった。

退院するとき、ぼくの手をとって、「先生、助けてくれてありがとう」と、とてもうれしそうな顔をしてくれた。それから一週間後、ぼくが往診をしている途中に、和助じいちゃんが道で歩く練習をしているのを偶然見かけた。車を止めて声をかけた。

「和助さん、がんばってるね」

じいちゃんがぼくのそばまで来た。喜んでくれているかと思ったら、怒ったような顔をしてぼくにこういった。「先生、なんで助けたんだ。殺してくれりゃよかった」

唖然《あぜん》とした。はじめて聞く言葉だった。耳を疑ったが聞き違いでないことは、和助じいちゃんの怒ったような顔が雄弁に語っている。

話を聞いてみると、じいちゃんにとって野良仕事をすることだけが生きがいだった。元気になったと思って帰ってみたら、土いじりができる体になっていない。かがむこともできない。草取りもできない。なんとか杖をついて歩くだけ。その現実を知ったとき、じいちゃんはぼくに殺してくれりゃよかったといったのだ。ぼくらが助けたと思った命が、「生きててよかった」と思っていない現実を見せられた。

病院のなかで必死にスタッフが働いて命を助けても、患者さんはちっとも喜んでくれていない。ぼくらの一生懸命やった二か月間はなんだったのかなと思った。

大学で教えられた医療は、病院の玄関をうれしそうな顔で退院する姿でしめくくりがつく。そのあと、傷をもった人や障害をもった人がどんな思いで暮らしていくのか、考えることはなかった。医療は近代化し、機械化するなかで、治していくために臓器に注目してきた。脳梗塞《のうこうそく》の患者さんには、脳の閉塞《へいそく》した血管や、それによって壊死《えし》に陥った脳細胞のことに集中して治療してきた。急性期を脱すると病院のリハビリは、片麻痺《かたまひ》のために、動かない側の手足に集中して治療する。もちろんそれが効率を考えた合理的な治療なのである。

しかし、障害をもって退院する患者さんは、ときには動く側の手足を利用して、その人らしく生きたいのだ。そのことをいっしょに考えていく視点を忘れていたように思った。医療はもっと生活や暮らしを見ないといけない、と教えられた。和助さんの「殺してくれればよかった」のひと言から、病院の医療だけでは充分ではないと考えた。大事なことは、患者さんがその後の生活のなかで生きててよかったなと思える支援をしていくことだ。

このあと、諏訪中央病院では、患者さんのその人らしい生活を支えるために在宅ケアを始めた。そして、一人ひとりが孤立してばらばらで病気と闘っていくのではなく、仲間と生きていることの楽しさを分かちあえるように、「お風呂に入れちゃう運動」や病院デイケアを始めた。

和助じいちゃんから、生活に寄り添う医療の大切さを教えられた。ぼくらの病院にとっても、ぼくにとっても、進む方向を変える大きな道しるべになった。

じいちゃん。ありがとう。

揺れる命

今から四千年前、人間の平均寿命は十八歳くらいだったと推定される。そして紀元元年、今から二千年前の平均寿命は、二十二歳といわれている。二千年かかって、四歳長生きできるようになった。人間は文化を少しずつ推し進めて、五百年で、寿命をたった一歳延ばすのが精いっぱいだった。

地球が誕生したのが五十億年前、生物が誕生してから約三十億年、単細胞の生命体から、ゆっくりと多様な物体が生まれ、生まれてきたものが進化・進歩し、哺乳類が生まれたのが一億年前といわれている。

明治時代の初め、日本人の平均寿命は三十三歳だった。約千九百年かけて、十一歳寿命を延ばしたことになる。ということは、百七十三年で一歳、寿命を延ばしたわけだ。アクセルペダルが少し踏み込まれたが、まだまだゆっくりとした変化だった。

産業革命後、「命」にも急激な変化が起きた。今、日本の女性の平均寿命は八十三歳。日本ではこの百年で、五十歳もの寿命を延ばしてしまった。二年で一歳の寿命を延ばしたことになる。

家族の心の変容

人類が長生きできるようになった結果として、当然、痴呆《ちほう》の問題が大きくクローズアップされるようになってきた。八十五歳から八十九歳の老人では二十一・六パーセントの方が痴呆になっているデータが報告されている。長生きのオリンピックに勝ち抜いて得た勝利が、痴呆だったのかもしれない。

アルツハイマー病の患者は、世界に千五百万人以上いるといわれている。日本では、三十万人のアルツハイマー病の患者を含めて、百万人の痴呆老人がいる。

痴呆とは、一度獲得された知的な能力が、器質的な脳の障害により、日常生活に支障をきたすようになった状態といわれている。

痴呆の初期段階は象徴的な症状として、昔のことはよく覚えているのに、新しいできごとを覚えられないという短期記憶障害がよく現れる。

ぼくが治療していたアルツハイマー病のおばあちゃんも、同じような症状が出ていた。病気が徐々に重くなっていく。朝食に何を食べたかもまったくいえなくなってしまった。

もともと俳句を趣味にしていた方だったので、痴呆が軽いうちは、作った俳句を外来診察にきたときに見せてもらいながら、社会性を失わないように指導していた。しかし次第に俳句が作れなくなっていった。

つぎに家族の誰かに見てもらって、日記を書いてもらうと、当初は大変よい効果を生んだ。痴呆の進行を少し止められるかと楽しみにしたが、この日記が問題を起こしはじめた。

友人の葬式に行った日に、忘れないように日記に書いてくれたが、日記帳を開いたときには昼間のことはすでに忘れており、「友人の見舞いに行ってきた」と書かれていることに、息子さんは気がついた。

翌日、死んだはずの友人のところへ遊びに行くと言い張り、家族は困ってしまった。

別の日、水道局の集金人が来て、一人で留守番をしていたおばあちゃんが自分で払ったが、日記には「嫁に一万円渡して、自分の好物を買ってくるように命じた。でも嫁はだまして何も買ってきてくれなかった」と、うらみの言葉が書かれている。

錯話《さくわ》だ。事実無根の作り話も、一度文字に書かれてしまうと、何度説明しても、かえって誤りを認めづらくなってしまった。書かせた日記が足を引っ張った。

家族も疲れてきた。こんなとき現代の医療は無力だ。痴呆を治すことはなかなかできない。ぼくたちの仕事は、家族を支えることにシフトしていく。

「神奈川県ぼけ老人をかかえる家族の会」の田中まさ子さんとお会いしたとき、第一ステップ「とまどい、否定」、第二ステップ「混乱、怒り、拒絶」、第三ステップ「あきらめ」、第四ステップ「受容」と、揺れる家族の心の内を体験談として教えてくれた。

ぼけた実母を看《み》ていた田中まさ子さんは、混乱して疲れきり、あきらめ、すべてを投げ出そうと思ったとき、京都で活躍しておられる、ぼけ老人のよき理解者の早川一光《はやかわかずてる》先生にお会いし、肩を抱かれ、ひとこと「よくがんばってきたね」といわれた。このひと言が彼女を絶望から救い出してくれた。田中さんは自らの経験から、このようなよき理解者がどうしても必要だと力説している。痴呆性老人を支える家族の、良き理解者を地域で育てていく必要があるように思う。

痴呆性老人を在宅で看取る

明け方の五時、ぼくの家の電話が鳴る。お嫁さんのあわてた声が聞こえてきた。
「おばあちゃんの息がおかしいんです。先生すぐに来てください」

エンドステージになると、家族の安心のために自宅の電話番号を教えておく。二十四時間体制の当番の保健婦に連絡をとって、患者宅にそれぞれが直行する。

呼吸は停止していた。しかしぼくらは心臓マッサージもしない。もちろん点滴などもしない。心臓が動いていないこと、瞳孔《どうこう》に対光反射がないことを確認し、死亡を認定する。すでに家族だけではなく親類や近所の人たちが大勢、おばあちゃんの床の周りを囲んでいる。

お嫁さんの名前を呼ぶ。後ろのほうに小さくなって座っていた彼女が、おずおずと前に出てくる。

「ほんとうによく看てあげたね。ぼけてから七年、おばあちゃんも大変だったけど、床ずれひとつなく、こんなにいい顔であの世に行けて、ばあちゃんは幸せってもんだな。長い間ごくろうさま」

徘徊《はいかい》の時期には、このお嫁さんは何度も村じゅうを探しまわり、疲れ果てていた。ぼくが往診に行くと家じゅうに鍵がかかり、目もうつろなお嫁さんが痴呆のおばあちゃんと部屋の片隅に座っていた。あの光景が今も忘れられない。

見かねて、精神科の先生に、お嫁さんをバックアップしてもらったこともある。また東京にお嫁にいったおばあちゃんの娘が里帰りしてきたとき、「嫁はわたしにご飯をくれない」と訴えたので、娘は誤解して手厳しく嫁さんに嫌味をいったらしい。

たび重なる気苦労で、ストレス性胃潰瘍になってしまったお嫁さんが、それでも必死におばあちゃんを支えていたのをぼくは知っていたので、みんなの前で彼女に「ありがとう、ご苦労さま」と伝えたかった。

医者の役目というのは、生きるか死ぬかのときに助けることが第一の仕事だと思っているが、命が途切れるときに臨終を確認する役でもあり、故人と関係のある人々が、その死を境にみんながどう生きていくのかいっしょに考えていくことも、医者の仕事かもしれないと最近考えている。

医療の仕事は、「生」を支えると同時に、「死」をどのように支えるかということも問われているように思えてならない。

医という字は、かつて醫と書いていた。いくつかの解釈があるようだが、医は矢を引くということで、人間の「技術」を示し、殳は役の一部で「奉仕」を示し、酉は神に酒を奉《まつ》ることで、「祈り」や「癒《いや》し」を示しているともいわれている。

醫から医に字が変わったときに、医療は本来もっていた「技術」と「奉仕」と「祈り」の三位一体を忘れ去り、技術にのみ走っていったのではないだろうか。医療がかつての技術と、奉仕と、祈りをバランスよく取り戻したときにはじめて、痴呆性老人や末期がんの患者さんをやさしく看ることができるのだと思う。

技術中心の今の医療では、痴呆性老人や末期がん患者を支える力は弱い。医学や科学はすばらしい進歩をとげ、長生きができるようになったが、これで果たしてよかったのだろうか。

正月残酷物語

諏訪中央病院の院長になって、十三回目の正月を迎えた。一月一日の外来は非常に忙しい。開かれた医療をめざし、困っている患者さんをいつでも診《み》ようと思っている。セブン‐イレブンの昔のキャッチ・フレーズではないが、「開いててよかった病院」の救急患者は、年間一万五千人を超す。当直医は常時、二人体制にして対応してきたが、三年前の正月からは患者を待たせないことを合言葉に、正月やお盆には四人当直体制へ増強をおこなった。「断らない医療」を実践するためである。

ぼくの仕事は、とりあえず新年のあいさつから始まる。地下の栄養科から始まって、放射線科、検査室、薬剤部、病棟とまわり、老人保健施設へ。

「ごくろうさま。本年もよろしく」正月から働いているスタッフへのあいさつをすませ、わが家へ帰れなかったお年寄りに声をかけ始めた。お正月には誰でも家に帰りたいものだ。病気が重い人、家族のいろいろな事情のなかで外泊のできない人がお正月に残っている。そんな方々に一人ひとり声をかけさせていただくのは大切なことだと思っている。

元旦の朝、「おっはようございまーす！」と、勇気づけられるような明るい声で、ひとりの男性が病室へ入ってきた。すべてを包み込んでくれるような、柔らかな笑顔。

「正月そうそう大変だったね、まあ あせらず、しっかり治そう」といいながら私の肩を軽く、ポン。「誰？　この人？」といった表情の私に「院長です」の声。

院長といえば、高慢ちきで、偉ぶっていて、常に若手医者を数人従え、病院の廊下の真ん中を、患者をはじき飛ばすかのように闊歩《かっぽ》するような院長にしか出会ったことがない私。戸惑いと感激とうれしさでいっぱいでした。患者ひとりひとりに穏やかな笑顔で言葉をかける院長。なによりの薬でした。しかも、貴院の職員の方は、みんな院長のお人柄に似ていて、感謝することしきりでした。本当にありがとうございました。益々の御活躍と御発展を。　1／1　花田

うれしい手紙が投書箱に入っていた。あたたかな声は働く者の疲れた心を癒してくれる。入院患者さんにあいさつをしていると、胸のポケットベルが鳴る。「外来です

が、患者さんがあふれてます」いやな予感がする。外は、信州には珍しいのどかな正月の青空が広がっているというのに、諏訪中央病院の急患室は戦場と化していた。吐血、骨折、脳梗塞と、次々に救急車が患者を搬送してくる。

緊急内視鏡が始まった。整形の先生が呼ばれ、脳外科の先生がとんできた。インフルエンザが猛威をふるい、スキー場は雪が少なく、アイスバーンのため怪我人続出。いくつもの悪い偶然が重なり、外来はパンク寸前。

昼頃、救急外来の患者を診ていると、老人保健施設から声がかかった。のどかな声がした。

「先生、鍋会《なべかい》をやります」

「えっ！……」ぼくは絶句した。正月休み中は最少スタッフで、どうしてもしなくてはいけないことだけ、するものと思っていた。ほとんどのお年寄りは外泊をする。しかし家庭の事情で、施設でお正月を迎えているお年寄りがいる。家に帰りたいと思っているにもかかわらず、正月に施設にいるお年寄りにこそ、あたたかな心を配ってあげたい。スタッフはそのことをよくわかってくれていたのだ。ありがたいことだ。

ぼくは老人保健施設へ行った。自分で食べられない患者さんに、鍋から豆腐や魚や野菜をとって、器に配っているスタッフの姿を見て、これは正月に出てきてくれた職員みんなの心を配っているのだと思った。

琴の音が流れ、とても家庭的な雰囲気が漂っている。非番のスタッフがボランティアで和服で登場して、正月の雰囲気を盛り上げている。あったかな雰囲気だ。七つの車座ができていて、それぞれひとつの鍋をつっついて笑顔があふれている。おしゃべりにも花が咲いている。お年寄りの顔がとてもうれしそうだ。

昼食を急いですませて病院へ戻ると、整形外科、外科は緊急手術になってしまい、小児科は乳児の呼吸不全がかつぎこまれ、救急車にとび乗って山梨医大へ行き、結局ぼく以外の三人のドクターは昼食をとれなかった。ひとりだけ食事をとったぼくは、とても恐縮してしまった。

そんなとき、病棟からSOS。「肝硬変でアルコール依存症の患者が、お酒を飲んでしまったようです」

病棟へ走った。お酒で勢いのついている患者さんが、話し相手にぼくを離さない。主治医がとんできてくれて、兄弟も交えて本人と緊急のミーティングだ。正月なのに心のケアもおこなう。このとき、外来救急患者さんは二百五十人を超えたが、まだ診察は終わりそうもない。

地域の人々の健康を守りながら、諏訪の大切な産業のひとつ、観光・リゾートでも、ぼくらが少しだけ「安心」という面で支えているのではないかと自負を感じた。

夢の混浴物語

ぼくらの病院には、今から十八年前、「ひまわりの会」という、直腸がんの手術で人工肛門になった患者さんたちの会がある。「ひまわりの会」の誕生秘話を話そう。

患者さんのひとり、善《ぜん》さんが切々と訴える。「私は諏訪中央病院で直腸がんの手術を受けたが、その後、死ぬことばっかり考えていた。先生は『手術が成功して助かってよかったね』といわれる。私は頭を下げて、『先生、どうもありがとうございました』といっていた。先生は働いていいよというけれど、私は人工肛門になっておなかからウンコが出る、おなかにウンコの袋をぶら下げていると思うと、とても不安で人前に出られなかった。先生も家族も『助かってよかったね』というけれど、私は早くこの世とおさらばしたい、そんなことばかり考えていた」

患者さんたちは外来の看護婦さんたちにも、「おなかからウンコが出るようになってしまって、生きていてもうれしくないよな。こんなだったら死んじゃったほうがよかったな」と、めそめそこぼしていた。

患者さんたちが自信をなくしている、生きている意味を失いかけているのを、外来の看護婦さんたちは気がついていた。お医者さんたちは「助けた」と思っているが、患者さんたちは生きていてよかったと思っていない。

「おなかに穴が開いて、ウンコが出てくるから、温泉なんてみっともなくて入れないわ」とか、「人前で話してても自分のウンコの臭いが伝わるんじゃないかと思うと、人前にも出ていきたくない」と家に閉じこもりがちになっていた。

また「会社に行って、部屋の人たちにウンコの臭いがするんじゃないかと思うと、想像するだけでとてもいやだ」といって、会社に行くのをやめた患者さんもいる。

死にたい

患者さんの心のつらさがわかる看護婦さんたちが動いた。蓼科《たてしな》の温泉に行こうと患者さんたちを誘った。自分たちの日曜日を使って、死にたいといっている直腸がんの患者さんを、温泉に連れ出そうと計画した。

あそこの温泉は露天風呂、しかも一つしかないから、看護婦さんたちと混浴できるかもしれない。善さんは、どうせ死ぬんだ、自殺するんだったら、最後に看護婦さんと混浴してから死んでやろうと思った。半分冗談で、半分は本心だったのだろう。

みんな看護婦さんたちの思いやりのある仕掛けにのった。蓼科の山へ、死にたい症候群の患者さんと看護婦さんたちは出かけた。キノコを採って、その後温泉に入った。もちろん、患者さんたちは、看護婦さんたちと混浴などさせてもらえなかった。手術以来、看護婦さんに誘われて、久しぶりに湯上がりに一杯飲んだ。

善さんはそのときはじめて、「生きている」とはこういうことなのだと思った。外科医がメスを振るっていい手術をして助けたと思っても、助けられたほうはそのことを実感していない。看護婦さんのちょっとした気遣い、魂への気遣いを契機に、彼は生きていることの意味を見出しはじめたのだと思う。

「ああ、風呂にも入れるんだ」「人前に出てもけっこう大丈夫なんだな」そして、「酒も久しぶりに飲んだ、やっぱりうまかった」というふうに、生きている心地がした。大事なことは「命の長さ」じゃなくて、「生きていることを喜べる」ということなんだろう。

それから徐々に輪が広がっていった。外科のドクターやケースワーカーに呼びかけ、引っ込み思案になっていた人工肛門の患者さんたちを、「温泉に行く会」「お花見」「勉強会」「キノコ狩り」などと、つぎつぎに外へ引っ張り出しはじめた。

いっしょに病気と闘ってくれた主治医と同じ温泉につかり、心の支えとなってくれた看護婦さんたちと酒をくみかわし、都会から来たドクターたちと、自分の得意のキノコ談義に花を咲かせるとき、今まであった鬱々《うつうつ》とした気分は晴れて、「生きててよかった」と思ったのではないだろうか。

一九九一年六月五日、諏訪中央病院の八ヶ岳、南アルプス、北アルプスを見渡す展望食堂「ななかまど」で、人工肛門の患者組織「ひまわりの会」の十周年記念パーティが盛大におこなわれた。信州では珍味として多くの人々に好まれている山菜、タラの芽のてんぷらが大皿に山盛りになっている。

この「ひまわりの会」は、不思議な人たちの集まりで、タラの芽採りのプロや、キノコ博士、マツタケ狩りの名人、蜂の子とりの達人などつわものがそろっており、宴会が始まると宴会部長の踊りが飛び出す。

『十周年記念集』にもこんな楽しい注意が書かれている。

「この会はメチャクチャに楽しい。この会に入るとマツタケが山のように食べられるからとか、おいしいお酒が飲めるからとかの理由で、無理に健康を害して人工肛門になりたいと思わないでください」

楽しい雰囲気が伝わってくる。

しかし、患者一人ひとりには、つらい悲しい歴史がある。患者のひとり、林さんは人工肛門になった前後の話をこんなふうに語ってくれた。

「やりきれない気持ちで手術台に乗った。俺はもう悔いのない人生をすごしてきた。

このうえ生きなくてもいい。ここで死のうと決意した。なんの未練もなかった。むしろ、安楽を覚えた。そして『もう生きなくていい、殺してくれ』と叫んだ。数秒後、意識を失った。そのときの思いを今でも思い出す。

手術後、人目と迷惑をかけることを避け、個室に入れてもらった。むなしくて、切なくて、うらめしかった。あのとき死んでいればよかったものを、こんな体で生きて何ができる。俺は今まで誰にも負けないよう、正しく、いっしょうけんめい生きてきたつもりなのに。なぜこんな憂き目にあうのだろうかと、涙があふれそうになった。

痛みと混乱で、眠れない夜がつづいた。ああしろ、こうしろと、ばあさんを眠らせなかった。そんな毎日のなかで、わがまま放題の私に、いつもやさしく親身に温情あふれる励ましをしてくれる看護婦さんを見て、これは職務意識だけではできない、天使というのは物語のなかに出てくるものとばかり思っていたが、まさしくここに天使ありと、心のあたたまる思いがした。

俺も強くならなければ。こんなことでくじける俺ではないはずだ。そう思い、だんだん落ち着きを取り戻してきた」

多くの患者さんが苦闘のなかから受容へと、一歩一歩近づいていく。支えてくれる家族がいて、親切なスタッフがいて、「ひまわりの会」のような仲間がいることが大切なのだろう。

横浜から引っ越してきた白田さんは、「こちらに越してきて、この会が存在するということが、まず驚異でした。というのは、都会では、プライバシーの侵害だとかいって、こういう同病の会をつくるということに反対するんですね。そういう意味でも、私は越してきて、この楽しい会に入会させていただいてよかったと思っています。今まで、いろいろな会を見ておりますが、この会はまことに恐ろしい会だと思います(笑)。いろいろな患者の会はあっても、がん患者が酒は飲むわ、雨の中でキノコ狩りはするわ、というような会を見たことがありません。みなさんは百まで生きるそうですが、私は百五十までがんばります」と語ってくれた。

あったかな話

人工肛門歴十年のベテラン、加賀さんはこういう。

「私が入院したときは、まだ病院はオンボロの旧建物でしたので、決して快適な病室とはいえなかったが、入院してみて驚きました。院内のいたるところに、患者のためになる、健康になるためのパネルが掲示されている。

それに若い看護婦さんは、とかく若い患者には親切ですが、年寄りには粗略《そりやく》がちというようなことがままあるように見えるのですが、年寄りのひがみでしょうか。そのことを私は以前結核で、二年ほどある病院に入院したとき身をもって体験しました。その

でも諏訪中央病院ではそのようなことがほとんどなかった。

今はどこの病院でも、下足のまま院内に入れるようになっていますが、当時はオンボロの病院で、玄関番によって下足が整理されていました。今まで行った病院では、係の人は、例外なくそっけない態度の応対でいやな感じがしたものです。

けれど諏訪中央病院の履物《はきもの》整理にあたっている方の態度には、頭が下がりました。玄関で履物を預けると、『ご苦労さまです』といい、帰るときは『お大事に』という。このような立派な態度の下足番を見たこともない。上これを行えば、下これに倣《なら》うのたとえのとおりだと思いました。さすが諏訪中央病院との感をいよいよ深くしたものです」

おほめいただいた玄関番のM君は、加賀さんからだけでなく、たくさんの方から賞賛の言葉をいただいた。新築以来、下足のまま入るようになってしまった当院で、いまM君は一万八千坪ある病院の庭に花を絶やさないように、朝早くから麦わら帽子をかぶり、病んでいる人にすばらしい花を見せてくれている。

やさしい彼は、散歩に来る患者さんに花を切って、病室にもたせてあげる。しかし彼が咲かせたきれいな花より、もっとすばらしい花があった。

なんと彼も「ひまわりの会」に参加してくれていたのだ。ドクターやナースやケースワーカーだけでなく、事務の職員も顔を出してくれる。そしてM君は一杯飲みながら、人工肛門の患者さんの前で、こんなスピーチをしてくれた。
「ぼくは二十年くらい前に、脳腫瘍《のうしゅよう》で二回手術を受けました。手術前は発作が起きてしゃべれなかったので、こんなに治るとは思いませんでした。でも働けるようにまでなって、病院に雇ってもらい、次にこういう仲間の会があることを知りました。何でも悩んでいることを話せる仲間があることは、すばらしいと思います」

患者のお礼まいり

ほんとうにすばらしい患者さんと、そしてスタッフに恵まれた病院だと思う。病気を診てもらう側と、診てあげる側が別々に存在するのではなく、同じ地域のなかで「共に生きる、生きている」といいきれるような病院に、一歩近づきだしたのだとしたらうれしい。

その翌年だったか、職員の忘年会に患者が乱入してきた。
「がんの手術ではたいへんお世話になりました。おかげでこんなに元気になりました」とお礼まいりに乗りこんできた。

三波春夫の『俵星玄蕃《たわらぼしげんば》』を三百人のスタッフの前で踊り、やんやの喝采《かっさい》を受けた。病院の忘年会に患者が飛び入りするというのは、楽しい話である。職員の忘年会に「ひまわりの会」の元気集団の患者が乱入しても、笑ってすませてくれる病院だと、市民が感じているのだと思う。

もしかして、市民が「オレらの病院」と思ってくれるようになったのなら、最高の幸せだと思う。病院の敷居が低くなり、敷居がなくなりつつあるのならうれしい。市民の一人ひとりの心的な世界のなかで、病院に対する心のバリアフリーが実現しつつあるのかもしれない。病院と地域の間に段差がなくなるためには、職員の一人ひとりの心のなかにスロープをうえつけていきたいと思う。

病院のなかにいつかほんとうにバリアがなくなることを願っている。集団主義におちいらない地域共同体の再生、豊かな町づくりをしたいものだ。

患者に癒される

今、「ひまわりの会」はたいへん活発な会になった。タラの芽をみんなで採りにいって、今年も医局の先生たちを招待して、てんぷらの会が開かれた。

今から二、三年前にもこんなことがあった。ぼくがとても忙しくて疲れたような顔をしていたら、患者会の人たちが「院長、半日時間を空けてくれ。自分たちが院長の疲れをとる」と気にかけてくれた。

ぼくはいわれるままに、日曜日の午前中、女房と二人で指定された山の入り口に行った。そこから車で山のなかまで連れていかれた。目的地ではもう火がおこされ、川で釣った魚、流し冷やそうめんみたいなものが用意されていた。また採ったばかりの山菜がすでに山盛りになっていて、それをてんぷらにしてくれた。アツアツのてんぷらを食べて、ぼくは生きている心地を味わうことができた。

　このように病院ではいろいろな助け合いがある。

　死を意識した患者さんたちが、逆にぼくたち医者を助けてくれることもあった。直腸がんで人工肛門になるような人は、お医者さんが説得してもなかなか了解してくれないこともある。しかし、ピュア・カウンセリングといって、すでに人工肛門を経験している患者さんから、「生きていることは、こんなふうにいいぞ」と伝えられると、ずいぶん違う。

　お医者さんのインフォームド・コンセントよりも、患者さんのピュア・カウンセリングによる説明のほうが、患者さんを納得させることが多い。

　人工膀胱《ぼうこう》の手術をした清沢さんの奥さん、乙女《おとめ》さんは、こんな短歌を詠んでいる。

　夫の命医師に託せし術中を　夕の庭に雪乱れ降る
　人工膀胱の同病の友屈託なく　夫を見舞ひて励ましくるる

「ひまわりの会」のメンバーに支えられていたのだろう。命が孤立せず、命と命が地

域のなかでつながり始めた。そして四年後の春には、

　四十年勤め終へし夫との野良仕事　梅咲く畑に日はうららなり

人工膀胱の生活に耐えていた冬から、生きててよかったと感じられるような春の空気が見えてくるように思った。

　ぼくたちが助けた命に、今、ぼくらが助けられている。同じ地域の一人ひとりが癒しあえる関係ができてきたのかもしれない。善さんは混浴をさせてもらえなかったが、今も元気に、春は山菜採り、秋はキノコ狩りに子供のように夢中になって、山を走りまわっている。ぼくたちは「ひまわりの会」の患者さんたちから、命は手術や注射だけでは救えないことを学んだ。

医学会総会へ田舎のかあちゃんなぐり込み

四年に一回開かれる最も権威のある日本医学会総会が、一九九九年、東京でおこなわれた。百周年の記念総会のメインテーマは「社会とともにあゆむ医学―開かれた医療の世紀へ―」で、医学会総会のシンポジストに、七十二歳のミチ子さんとぼくが選ばれた。ぼくのような田舎医者や、一般市民を指名するとは粋なはからいである。

ミチ子さんは茅野《ちの》市の健康づくり運動のリーダーとして、地域で十五年間、「歩け歩け運動」をつづけている。活動の仲間や保健婦さんたちと、半年前から、どんなふうに発表するか、何回もミーティングを開いた。ミチ子さんは大切な四十四歳の息子さんを、三年前に東京の大病院で胃がんで亡くしているが、そのときの悲しい看取りの光景を今も忘れられない。

座長の北海道大学の前沢教授からは、住民と地域病院の関係についてというシンポジウムのねらいが指示されていたが、東京の病院で受けた仕打ちのカタキ討ちをしようと、外野が勝手に盛り上がってしまった。お医者さんにもっと患者の痛みをわかってもらおうということになった。

　学会の当日、朝四時半に集合してマイクロバスに乗りこむと、目を見張った。応援団の田舎のかあちゃんたちや保健婦さんたちの、おいしい料理やサンドイッチが広げられ、ほとんどピクニックののりである。

　ぼくらは二十五年ほど前、この田舎のかあちゃんたちと健康づくり運動を始めた。十五年前、日本であまりおこなわれていなかった寝たきり老人のデイケアを始めたときも、三十名近い田舎のかあちゃんがボランティアとして応援に来てくれた。

　ぼくが住みつく決意をして、林のなかに丸太小屋を作ったときも、今日のように三十人ぐらいの田舎のかあちゃんたちが、手作りの料理を持ち寄って、盛大に新築祝いをしてくれた。ぼくたちの地域医療はいつも、この元気のよい田舎のかあちゃんたちに支えられてきた。

　ミチ子さんの晴れ舞台が始まった。堂々と六枚のスライドを使って、健康学習運動の十五年間の活動が、わかりやすく報告される。いよいよクライマックスだ。声のトーンが一段と緊張感を高める。

「長男が亡くなってから三年になろうとしています。この悲しみは、癒《い》えることなく思い出され、涙してそっと供養している今の私です。息子は四十三歳の春、東京の大きな国立病院で立派な先生に胃がんの手術をしていただきました。それから一年半過ぎた頃に、がん性胸膜炎とわかって入院。すでに肺まで転移しており、最悪の事態となりました。ここではじめて先生から本当のことが本人に伝えられました。『短ければ二か月』と。

本人のショックは大きく、嫁と抱き合ってひと晩泣きあかしたようです。先生から『今後の治療は、厚生省から認可されていない抗がん剤を打つしか方法がないがどうしますか』といわれましたが、本人と話し合い、お断りすると、病院では退院するようにとのことでした。

重病人を自宅療養するには不安がありました。病院からは、近くの病院の紹介とか、訪問看護とか、何の提案もありませんでした。本当に不安でした。東京はオアシスのない砂漠のようですね。

本人はなんとか生きようと、自宅で一か月、必死にがんばりました。だんだん痛みが激しくなり、すべてが絶望の思いだったのでしょう。『何もかも信じられなくなった』と訴えました。本人は自宅にいられる限界までがんばり、救急車で再度入院。四日目に亡くなりました。

最期の夜は土曜日でした。苦しみのため寝ることもできず、途中幾度か、先生の診察をお願いしても、電話での指示で、看護婦さんが来ただけでした。夜明けに私と嫁が泣きながら、『先生を、先生を』とお願いし、苦しそうに酸素マスクをつかむ息子の手をしっかり握って、『がんばって、がんばって』と励ましていました。先生はなかなか来てくれませんでした。嫁と私の二人きりの、さみしいかわいそうな最期でした。

このように苦しませ、今思い出してもさぞつらかったろう、無念だっただろう、と怒りを感じました。嫁の心には今も大きな傷跡を残しています。医療不信におちいり、人間ドックをすすめても、受ける気にはならないようです。

医学の手の届かぬ病《やまい》でも、本人、家族は、死の恐怖と痛みと苦しみと闘っています。そんななか、たとえ積極的な治療を選択しなかったとしても、患者とその家族は心のサポートを必要としています。患者の苦しみや、家族の不安を理解してくれるお医者さんが、ひとりでも増えることを切に切に願っています。息子の悲しい死を無駄にさせたくない思いで発表させていただきました。ご清聴ありがとうございました」

一度、涙声になりかけたが、静かな落ち着いた声で発表は終わった。会場からは大きな共感の拍手がわいた。ミチ子さんの弔《とむら》い合戦は終わった。ミチ子さんは発表させてもらうなかで、徐々に徐々に癒されていったように見えた。母ちゃんのがんばりに、あの世の息子がうれしそうに手をたたいているような気がした。日本の医学会に新しい風が吹くことを願っている。ミチ子さんたちの「歩け歩け運動」は、今日も玉川村でつづいている。

ホスピスができた理由《わけ》

ぼくの友人におもしろい坊さんがいる。ケタ違いにおもしろいのだ。彼の宗派が何だったか、もの忘れのひどくなったぼくはときどきわからなくなって彼に聞く。すると、「みなの宗」と答えが返ってくる。「誰でもウェルカムですよ」と、わけのわからないことをいう。

不登校の子が寺の庭をはいていたり、社会に不適応の人間がゴロゴロしていたり、そうかと思うと、「原爆の図」を描いた丸木《まるき》位里《いり》・俊《とし》夫妻が長逗留《ながとうりゆう》して、寺の襖《ふすま》にすばらしい作品を次から次に描きまくっていく。

永六輔《えいろくすけ》氏を校長、無着成恭《むちやくせいきよう》氏を教頭に尋常浅間学校といういかがわしい学校をつくって生徒を集めている。一流の講師陣が集まって、他では聞けないようなおもしろい授業をしていく。ホテラ劇場などといって、一流のミュージシャンが集まって魅力的なコンサートをしていく。和尚《おしよう》いわく、「ホテルとお寺をいっしょにして音楽を聞いて、酒を飲んで泊まっていけるホテラ・コンサート」と、ますますわけのわからないことをいう。

昨年はついに、三百人は入る素敵なコンサートホールをつくってしまった。こんなホールができるのは「坊主丸もうけ」かと思って、「どこかからお金入るの？」と聞くと、「明朗会計、明朗会計」と答えが返ってくる。

住職の収入はサラリー制にしている。檀家《だんか》さんに収入をすべて情報公開しているとのこと。

「ぼくは住職ではありません。飛び職です」とまたまたわけのわからないことをいう。寺にはあまりいず、まるで住んでいないみたいだ。タイのエイズ患者サポートや、長野NPOセンターの代表を務めたり、住職でなく「十職」。たくさんの職をもった坊さんである。怪人十面相である。

ぼくと同い年であるが、この卓志《たくし》和尚から教わることは多い。しかし、彼よりすごい怪人がいた。とてつもなく人間が大きいのだ。

彼のおやじさん。そのお父さんからぼくはいろいろな教えを受け、大きな宿題をもらった。そしてぼくはその宿題に応えた。

卓志和尚のきびしい師であり、やさしい父であった高橋勇音《ゆうおん》さんを、一九九二年、諏訪中央病院の泌尿器《ひにょうき》科で検査したところ、前立腺の未分化がんが発見された。

家族と話し合い、すぐに本人にも本当のことをすべて説明した。いつものことだが、インフォームド・コンセントに注意して、医療をおこなった。

早期のがんではあるが、たちの悪い未分化がんであること。八十歳という高齢であり、禅寺の住職として「生死を超えたところの生死を生きている」と、わけのわかったような、わからないような禅問答を真骨頂に生きてこられた姿を見ていたので、無理な前立腺摘《てき》出《しゅつ》手術をせずに、睾丸《こうがん》摘出術をおこなうことを、本人を中心に家族も交えて命の選択をした。

根治手術ではなく、前立腺がんの発育を遅らせることを目標にした。放射線による治療、抗がん剤による治療、根治手術などのなかから、勇音さん自身が山梨医科大学の先生方にも相談しながら、最後の治療を自己決定した。

その後も治療過程で、抗がん剤による治療や放射線治療、東洋医学的治療などを、本人と相談しながら病態に合わせておこなってきた。しかし、未分化がんの勢いは強く、ぼくらの打つ手は徐々になくなっていった。そのなかで救いは、自宅での生活をできるだけ長く、との本人の希望を、充分に叶《かな》えることができたことである。

体調のよかった勇音さんは自宅で自由な生活をし、旅行をしたり、今まで書きためたものを整理し、出版の準備をしたりしていた。

亡くなる前年の夏、勇音さんはこんなことを書いている。

――人は生まれ、育ち、衰え、そして死ぬ。このことは人間ばかりでなく、生きとし生けるものは皆この順序を踏んでいく。なのに人間だけが、死という事実を意識として考えるとともに、死を解決した多くの人がいる。死ぬことをまるで隣の家へでも行くみたいな心境で、詩《うた》にうたった禅僧たちがいるのであるが、この詩を遺偈《いげ》、または末期の一句と言う。お互い人間はいつか必ず死ぬ。地位も名誉も財産も妻子もおいて死ぬ。しかし、いつか必ずという、そのいつかが判らない。

私など八十一歳、死はほんの近くまで来ているというのに、いま現に生きているのだから、死ぬということなぞ考えなくていい。でも「さして遠くはないぞ」と自分に言い聞かせるとともに、死の準備を始めることにした。

生死をこえた死にざま、果たして隣へ行くみたいに行けるかと自問自答するこのごろである――

一九九四年の正月を過ごした後、勇音さんは激烈な痛みに襲われ、毎晩眠れぬ夜が続き、日曜日に痛みが頂点に達した。

一月九日、「寝ても、座っても、立っても痛い」どうしようもない痛みのなかで苦しみだした。いつもの卓志和尚らしくない、あわてた声でSOSの電話が入った。夕ーミナルステージを迎えていることは、卓志和尚も家族も、本人も理解していた。

ぼくは肉体的な痛みで苦しんでいる勇音さんを、一刻も早く痛みから解放してあげたいと思い、卓志和尚の家から五分しか離れていない信州大学の麻酔科で、ペインコントロールを得意にしている先生に連絡をとったが、日曜日のため連絡がとれない。松本市内の病院にも連絡がとれず、車で一時間のぼくらの病院に入院してもらった。

諏訪中央病院の東洋医学センターをもつ分院、リバーサイドホスピタルの当時の楊《よう》院長が、硬膜外ブロックなどのペインクリニックや漢方や気功の治療を始め、勇音さんは痛みから徐々に解放されていった。その後の三週間は小康《しょうこう》を得た勇音さんを中心に、涙と笑いがくりひろげられた。

ありがとう

勇音さんは何日も便が出なかった。浣腸《かんちょう》をして久しぶりに大量の排便があり、下のほうが汚れてしまったとき、「これが本当のくそ坊主だなあ」と、きれいにしてくれている看護婦たちを笑わせる。

食事がすすまないとき、大好物のサンドイッチなら食べるかと思って家族が用意すると、「もう三度《さんど》食ったからいいよ」とダジャレを飛ばすことで、食べられない自らの状態を客体化し、笑いをつくり出すことで、悲しみを癒しているようだった。

奥さんと二人になると「長いようでも五十年は早かったなあ、おばあちゃん、世話になったなあ」としんみり語った後、「先に行ってるけど、終点ターミナルで待っているよ」と、シャレてくる。今、自分はターミナルステージという終末期にいて、ターミナルケアを受けている。おばあちゃん、先に行くけど、ターミナルという人生の終着駅で待っているよ、と語りたかったのか。

痛みがコントロールされるようになると、息子の住職に、ひと晩じゅう寝ずにいろいろな教えを語りつづけ、最後には、自分の葬式の仕方も、驚いたことに、お返し物の葬式まんじゅうまで、みなさんに喜んでもらえるように心をくだいて決めた。

お葬式には全国各地からご縁のある高僧が出席される。「お経は短いほうがいいよ。ヘタなお経は聞きたくない。三分間くらいにしておけ」と前もって命じていた。

遠く離れたぼくらの病院に入院してもらうことになったときも、卓志和尚とは、「硬膜外ブロックを入れてペインコントロールができたら、できるだけ早く松本の自宅に帰そう」と約束した。ぼくも家族もきっとそれを本人が望んでいると思っていた。

しかし、入院して少しずつ痛みがとれていくと、「ここでいい。この病院で逝く」と予想外のことを勇音さんがいいだした。勇音さんも若い看護婦さんのそばがいいのかなと、ぼくは卓志和尚と二人で笑って話した。

おばあちゃんを中心に、卓志さんと卓志さんの奥さんと子供たち、お弟子さんたちが必ず複数で二十四時間付き添い、いつも誰かが話を聞いてあげたり、手を握ってあげたり、足をさすってあげたり、それは見事なものだった。

ぼくらが勝手に「家で看取る」と決めることではなく、「患者の命は患者自身のもので、生き方も死に方も自ら決めることだ」と勇音さんから教えられた。「自己決定」というキーワードの大切さを教えられたような気がする。

しかし、さすがの勇音さんも死がぎりぎりまで忍び寄ってきたところで、「帰りたい」といった。すべてを予見しているようだった。

勇音さんが「松本の家へ帰る」といいだした最後の晩、病室に行くと、ぼくの手を取った。しばらく沈黙が広がる。やさしい声が聞こえた。「ありがとう」無邪気な子供のようなさわやかな笑みを顔いっぱいに広げてくれた。あたたかな沈黙は五分ほどだっただろう、ぼくは感動で言葉も出なかった。ぼくの手をしっかり握ってくれた勇音さんのぬくもりは、今もぼくの手に残っている。

病室から卓志和尚と二人で外に出ると、柄にもなく涙が落ちてきてしばらく止まらなかった。ぼくらは不思議な感動のなかにいた。

「家で死ぬこと」に卓志和尚がこだわっていたことは知っていた。ぼくたちの諏訪中央病院の地域ケアで看ている患者さんは、最近のデータでは七十パーセントの方が在宅死になっていると話すと、卓志和尚はびっくりした顔をした。

在宅ケアを充実させるためには、アフターファイブ（午後五時以降）の対応が重要だ。そのためぼくらの病院では、二十四時間のバックアップ体制をとっている。インフォームド・コンセント（説明と同意）を超えて、インフォームド・チョイス（説明と選択）になればよいと思って、病院づくりをしてきた。

病気と闘う場や死ぬ場は、患者さん自身が選択できる地域にしたい。多様なメニューのなかから、患者さん自身がチョイスできる病院になりたいと思って、二十六年間病院を充実させてきた。老人保健施設や、療養型病棟や、東洋医学センターや、在宅介護支援センターを次々につくってきたのも、インフォームド・チョイスのできる医療をめざしたからだ。

死に際《ぎわ》の宿題

勇音さんが死を前にして数か月を過ごした空間は、Hospice without walls（壁のないホスピス）だった。大好きな松本の自宅もそうだったと思う。痛みのコントロールをしながら、看護婦さんたちにダジャレを飛ばしていた病棟は、その頃まだ、認可されたホスピス病棟ではなかったけれど、緩和ケア病棟（UPC）の役割を担《にな》っていたのだろう。

勇音さんはぼくの手を握り黙《だま》ったまま、ぼくに宿題をおいていったような気がした。

「鎌田君、ＰＣＵをつくってごらん。人口五万人の田舎の小さな病院にＰＣＵをつくるんだ。宿題だよ」

「日本のホスピスはほとんど大都市にあるだろう。お金持ちやインテリや教会の方たちだけが利用するＰＣＵではなく、田舎のおじいちゃん、おばあちゃんが、普段着で利用できる田舎の、堅苦しくないＰＣＵをつくってごらん」

あの世からの宿題のように思った。緩和ケア病棟という施設内ですべて看ていくのではなく、今まで育ててきた諏訪中央病院の在宅ケアシステムを活用して、できるだけ地域のなかで「命」を支え、本当に困ったとき利用できる、できるだけ小さな緩和ケア病棟をつくれということだと理解した。

在宅ホスピスケアを積極的におこなう緩和ケア病棟は、日本にあまりない。緩和ケア病棟が存在する最も小さな町で、日本で最小の緩和ケア病棟をつくってみたい。勇音さんの遺志を無にしないためにがんばってみようと心に決めた。

「痛み」には四つのものがあるといわれている。社会的痛み、精神的痛み、肉体的痛み、霊的痛みのうち、勇音さんは肉体的痛みのコントロールが前面に出ていたが、勇音さんの精神的な不安はコントロールされていたのだろうか。

ぼくは浅はかにも、勇音さんはセルフコントロールを見事にしているのだと思っていた。亡くなった後、息子の卓志住職は一片のメモを見つけた。

食欲がない、食べ物の味が一切ない。右脇腹が痛む。二、三日通じがない。肩、腕、掌がしびれる。膝が痛む。と書かれた後に一行、こんな文字が埋められていた。

「精神的不安というか、万事にアセリ感じる」

ぼくは受容しているものとばかり思っていた。しかし、勇音さんもアセリを感じていたのだ。

ぼくが告知をしているが、きっと心の葛藤《かっとう》があったことと思う。医療者や家族は患者に、どのように接してあげればよかったのだろうか。キューブラー・ロスのように、がんの告知後、勇音さんの心のなかでは、衝撃→否認→怒り→取り引き→抑鬱《よくうつ》→受容と、ステージを変えながら受容へいたったのだろうか。

死の受容があったことは間違いのない事実だと思うが、こんなふうに、一方向に整然と、受容に向かうものではないように思う。

がんの告知を受けたとき、彼は受容したように見えた。まちがいなく受容した。しかし、その後に痛みに襲われたとき、受容した心が再び葛藤を始め、不安感やアセリを感じたのではないか。人間の心の変容は、ロスのいうような、ひとつのきれいな受容に向けての流れをつくることは少ないと思う。受容にいたっても、常に心の動揺はあるものだ。それが人間というものだ。勇音さんの心のあり方を見つめていると、さすがに禅宗の宗教家と思わせる面と、揺れている勇音さんを見て、あっ、普通の人間なんだと思える面があった。人間らしい人間から実に多くのことを教えられた。

ぼくたちは医療のなかで、「今この病人にはどんな援助が必要か」と常に思いをめぐらしてきた。それぞれの「時」の徴《しるし》を見抜く感性をもっていたいと思う。病気が見つかったとき、勇音さんに病名を語ったのは、まさにこの「時」をのがしたくなかったからだ。

勇音さんは医者のぼくらよりも、「死の時」を鋭く見通していた。その「時」に向けて注がれた、やさしいおばあちゃんのいたわりや、卓志和尚たち家族のやわらかな心が、その大切な「時」の徴を見のがさなかったのだと思う。

勇音さんのユーモアに免じていただき、勝手な表現をさせていただくと、「Thank you のひと言残し　くそ坊主逝く」――一陣の風のように爽快《そうかい》な最期だった。

松本へ帰って三日後、勇音さんは自分の予言どおり、一月末日、大好きな自分の家で、家族や弟子たちに囲まれて早朝に息をひきとった。大往生だった。結局、勇音さんは末期《まつご》の一句もまとめずに、隣の家へ行くような軽い足取りであの世へ行ってしまった。

諏訪中央病院に入院して数日後、痛みがコントロールされると、彼は死を意識して遺偈《いげ》を書きだした。起句、承句までいったが、転句、結句まで書かず、筆をおいた。あの世でうまい　句ができれば「忘れもの、忘れもの」といいながら戻ってきそうな気がする。

百名近い高僧による三分間の大悲呪《だいひじゅ》というお経が読まれた葬儀は、簡潔で優美で荘厳なものになった。勇音さんの思いどおりの葬儀だった。

死を目の前にした勇音さんの「帰りたい」のひと言は、家から遠く離れた病院の一室で、交代で二十四時間ずっと付き添った家族や病院のスタッフには、「満足だったよ。言い残したことはないよ。痛みもとれたし、帰ろうか。Thank you」と、そしてぼくには「ヘボ医者、もういいぞ。よくがんばったね。どんなに忙しくても勉強しろよ。Good bye」といっていたのだと思った。

ぼくには宿題が残った。勇音さんの残した宿題。

小さな町に、日本一小さなホスピスをつくってごらん。田舎の人が肩肘《かたひじ》張らずにゆっくりできるホスピスをつくってごらん。

勇音さんの宿題に応えられる日が来た。一九九八年夏、八ヶ岳をパノラマのようにのぞむ絶景の地に緩和ケア病棟がオープンした。

ホステスになりたい

ぼくの娘が高校三年のときだった。久しぶりに家族がそろって夕食をとっていると、突然「わたし、ホステスになりたい」と実にあっけらかんといいだした。

「えっ！」初め、聞き違いかと思った。女房と顔を見合わせた。女房の表情からも、間違いでないことはすぐにわかった。

ぼくは心のなかで、落ち着け、落ち着けと言い聞かせた。「今の子には何でもすぐに反対してはいけない」と、どこかの教育専門家が書いている文が頭をかすめる。「うん、うん、それおもしろいね」ぼくの声は上ずっている。意味不明でもある。子供からホステスになりたいといわれて、うれしい親なんかいるはずがない。いけない、いけない、職業に貴賤《きせん》はないはずだから、こんな直接的な表現は御法度《ごはっと》である。「すばらしい仕事だと思うけど、人生でいろいろな経験してからホステスになるほうがいいんじゃない」と、もごもごと話す。妻は相変わらず困ったような顔をしている。

このまま食事を終えて、娘が自分の部屋へ行ってしまえば、必ず妻はぼくを責める。いいたいことはわかっている。いつもは「君」とか「ミノくん」とかいうのに、こんなときは必ず「あなた」から始まる。

「あなた、あなたが仕事、仕事でいつもいないから、あなたのいちばん大切な娘が、高校卒業するとすぐにホステスになりたいなんていいだすんですよ」きっとこういわれるに違いない。ぼくはあまりにも家にいないことが多かった。食事を終わるまでになんとかしないといけないと焦る。

「なんでホステスになりたいの」とおそるおそる聞く。

「今度、おとうさんの病院にできたでしょ」

うーん。ますますわからない。諏訪中央病院はなんでもありだが、「病院快適宣言」という宣言をして、全館禁煙でタバコだって自由にすえない。いくら、何でも許す院長でも、お酒は許可していないし……。うーん、そうだ、緩和ケアの冷蔵庫にはビールやワインが置いてあって、飲みたい人は飲んでいいことになっているなあ。でもバーもキャバレーもないから、やっぱりうちの病院とは関係ないなと思う。

「おとうさん、わたし、ターミナルケアとか、心理学とかに興味が少しあるんだけど」

そのとき、ぼくは突然、在宅ホスピスケアを先駆的におこなっている内藤いづみ先生の話を思い出した。甲府で、「ホスピス研究会」をつくって勉強会をおこなう計画で、市民会館を借りにいくと、要領をえない断られ方がつづいた。どうも先約があって断られているのではないらしい。問いただすと、公的な施設なので、ホステス集めや、ホステスの面接に使用されては困ると返事が返ってきた。笑い話である。

そうか、うちの子はホステスに興味をもったのではなく、ホスピスに興味をもったのか、安心した。

落ち着いて考えてみると、ホステスもホスピスも語源は同じはずだ。「ホスピス」は主人と客が対等な関係を意味するといわれる。ホストはもてなしをする主人、ホステスはもてなしをする女主人。ホテル、ホスピタルはもてなしをする空間、ホスピタリティはあたたかいもてなし、と同じ語源から派生している。

伝え聞くところによると、ホスピスは四世紀、ローマの貴族ファビオラが、巡礼者のための憩《いこ》いの家を作ったのが始まりである。食事をさせ、宿を提供し、病気の手当てをした。

そして現代になると、イギリスでシシリー・ソンダースが一九六七年、ロンドン郊外に、死にゆく人を看取る場所として、「セント・クリストファーズ・ホスピス」を建て、ゆっくりと世界に広まっていった。

ホステスもホスピスも、ホテルもホスピタルも、あたたかなおもてなしという同じ語源をもっていた。あっそうだ、卓志住職がやっているホテラ劇場のホテラもあたたかなおもてなしか。妙に納得できた。

ホスピスもホスピタルも、ホテルやホステスさんや、いま流行といわれているホストさんに負けないような、あたたかなおもてなしをしたいものである。

彼女は今、仙台の看護大学でホステスさんではないが、あたたかな看護のおもてなしを修業中である。

坊さんが蘭《らん》をかかえてホスピスにやってきた

一九九九年二月、五十歳の女性、さわさんが奈良からやってきた。彼女は五か月前に、胃がんのために奈良の病院で胃の摘出手術を受けていた。ほんの少しの期間、病状はよくなったが、すぐに痛みが強くなり、食事がまったくとれなくなっていた。

さわさんの実家は、卓志和尚の神宮寺《じんぐうじ》の檀家だった。三年ほど前、お姉さんをがんで亡くしており、その頃、卓志和尚とぼくの対談を聞いていたのを思い出し、卓志住職と相談して奈良から車で転院してきた。

それまで家で痛みをこらえながら何も食べずに、毎日天井を見つめていたそうだ。すでにがん性腹膜炎と肝転移があった。

本人に、ゆっくりと真実の説明をしながら緩和医療が始まった。痛みが徐々にとれていった。入院して二日たつと笑顔が出てきた。

「神宮寺の高橋さんに悪いかしら」と、姪《めい》ごさんからのプレゼントの、牛伏寺《ごふくじ》のネズミのお守りをいじって笑っている。卓志和尚の話題になると、ホッとするようだ。同級生の気安さと同時に宗教家として信頼しているのがわかる。夫に「奈良から遠くてゴメンナサイ。子供たちにも悪いとは思うけど、ここは今までのどの病院よりもいいわ。天国よ」と語る。

病院のスタッフはカンファレンスを開いて、症状コントロールができたら、奈良の家の近くの病院に移るほうがよいのではと考えたが、さわさんの思いは違っていた。

「最期までここにいたい。そのつもりでいます。せっかくここまで来たんです。子供たちにはわがままいって申し訳ないけど、たとえ京都や大阪の病院に移ったとしても、子供たちにとってはすぐには来られない距離だしね。以前、入院していたときもすぐに来てくれなくて、こっちはいらいらしてしまった。これだけ離れていればあきらめもつくから。家にいても、看てくれる人はいないんですよ。

わたしは思うように家事ができないので、結局、長女に負担がかかってしまった。長女が帰ってきてごはんを作ってくれたりしていたけど、大変でかわいそうでね。夫は仕事があるから無理でしょう。それに長女も四月から勤務だし、次女は神奈川で大学生、下の息子は高校生で野球部だからそれぞれ大事なときなので、自分のために犠牲にさせたくなくてね」

悩んだ末の、転院であると話してくれた。

「ここの病院の話は高橋和尚さんや院長さんの講演を聞いたりして、以前から知ってたんです。本当にこの病院に入れてほっとしています。十二月は痛みがひどく、家で一人で耐えていたんですが、とってもつらかった。人間の生活じゃなかった。だから私としてはここに来たかったけれど、夫も長女も『なんでそんな遠くへ』といってい た。でも夫はだんだんわかってくれました。次女は、お母さんの好きにすればいいって。息子は、お母さんがいなくなっちゃうなんて、少しさみしいなあ、でも早く治して帰ってきてねと。最後まで反対していた長女も、夫が説得してくれたんで、わかってくれたみたいです」

家族の思いもさまざまだったようだが、さわさん本人の意思は固かった。

「今さら他の病院に行くっていっても、諏訪中央病院でのような信頼関係をつくれるかどうかわからないし、疲れちゃってね。あちらの言葉もなかなかなじめなくて。もともと私も主人も信州の生まれですから、なんか信州の言葉を聞いているだけで落ちつくんですよ」

付き添っていた実のお姉さんは、本当に落ち着いてよかった、こちらに来る前は雑巾《ぞうきん》のようにぼろぼろになっていて、どうなることかと思ったけど、笑顔も見られるようになったと、胸をなでおろしていた。

さわさんはニコニコしながら、「この前、夫にずいぶん楽になったといったら、『もっと早く行かせてあげればよかった』とぽつんといってくれた。遠いし、私も家族もこういったことに理解が足りなかったから、前の病院でがまんしていた。あの病院では痛くても我慢して動くようにとか、湿布を貼《は》ってみても効かなかったから注射を頼んだのに、また湿布を貼ってみようとか、的はずれの治療も多かった。我慢していても何もいいことはなかった。この病院の緩和ケア病棟に移ってほっとした、落ち着いた気持ちですよ」と語る。

ご主人も同感だとうなずく。

「奈良の先生は、緩和ケア的な考えのまったくできないドクターだった。すべて自分が正しいと信じているようだった。高橋さんに話したら、すぐにここを紹介してもらえてとてもありがたかったです。家内にとっては、今がいちばん苦痛が少ないと思いますよ。このような分野はまだ新しいから、知らない先生も多いんでしょうねえ。ありがたいことです。こういう静かな状態を望んでいましたからね。それに高橋さんのような頼れる存在が近くにいると安心できます……」

ご主人も今回のことをきっかけに、ホスピス・緩和ケアということについて、概念ではなく実感として、ひしひしと受けとめている様子だった。

親友がお見舞いにやってきた。さわさんの顔には、満面の笑みがあふれた。「お母さんの幸せそうな顔を見ているとうれしい」と、娘たち。

お姉さんがひと晩ずっとついて、さわさんの手を握ってくれていた。「なんだか赤ちゃんみたいね」と、さわさんは笑った。表情もおだやかで、苦痛もない様子。おだやかな時をすごせるようになったが、さわさんに残された時間はわずかのように見えた。

卓志和尚は、エイズ・ホスピスの支援のため、タイへ行かなければならなくなった。さわさんは卓志和尚を信頼していた。日本を離れる日、彼は病院へ寄った。さわさんに言い残していった。

「もう会えないかもしれないけれど、もし縁があったら帰るまで待っていてくれるよね。じゃ、ぼく、これから行くから」

十日後、彼は仕事を終え、成田空港に着いてすぐ電話をしてくれた。緩和ケアの病棟婦長からの伝言が、寺をとおしてタイの彼のもとへ入っていた。「血圧が五十に下がりました。残された時間の余裕はあまりありません。どうも高橋さんを待っていらっしゃるようなので、大至急いらしてもらえませんか」

彼は病院に直行した。彼の姿を見て驚いた。坊さんの胸にひとかかえの蘭の花束が輝いていた。ドンムアン空港から蘭の花束を買ってきた。意識の混濁しかかったさわさんに、和尚は花束を渡した。さわさんは胸の上にしっかりと蘭の花を抱きしめた。

和尚が帰ってくるのを待っていたのだ。うれしそうだった。彼女は胸の上で抱きかかえていた花を、一本ずつ震える手で、「ありがとうね、ありがとうね」といって、自分の子供たちに渡していった。みんなの目から涙がボロボロと落ちていく。心が揺さぶられるような光景だった。

その夜ぼくが病室を訪ねると、さわさんは蘭の花を髪に飾って微笑んでくれた。数日後、さわさんは静かに、静かに最期の息をひきとった。

卓志和尚がぼくらの病院の緩和ケア病棟で見せてくれた、坊さんに似つかわしくない蘭の花束は、ホスピス・マインドにあふれた温かなおもてなしだったような気がする。

今、医療は機械化、近代化するなかで、ホスピタリティを忘れかけている。葬式宗教になってしまった仏教も、生きている人に対するあたたかなおもてなしの心を忘れかけている。今一度、医療も宗教も根源的な問い直しが必要なのかもしれない。

あなたはあなたのままでいい

たまごが飛んだ

ぼくは山のようにたくさんの仕事をもっているが、多くの人に支えられて、なんとかしのいでいる。それぞれの責任者のおかげで、看護学校も、老人保健施設も、分院リバーサイドクリニックも、個性的でやさしくおもしろく、元気のよい運営をしてもらっている。特に看護教育は、むずかしい。いい医療がおこなわれるかどうかは、看護の質で決まるのではないかと思っている。日本の医療をよくするために、感性のよい看護婦を育てたいと思っている。ぼくは看護学校の学校長をしている。実に頼りない学校長である。入学式であたたかく迎え入れ、卒業式であたたかく送り出すのがぼくの大事な仕事と思っている。

人を育てることにはとても興味がある。初めは金八先生のような情熱的な教育を考えた。不良がいても、勉強しない学生がいてもすべて理解し、包み込んで、みんなをまとめて進級させ卒業させていく、そんな姿を夢みていた。

プロフェッショナルを育てようとしている職業教育は、ちょっと違うことにしばらくして気がついた。勉強はできなくても、基本に看護が好きであることがどうしても必要である。看護することを大事にできない人は、いくら勉強させても成長しないことがわかった。ぼくらの学校の教育は愛情にあふれているが、とても厳しい。

二〇〇〇年の今年も、この厳しい学習を、三年間突破した学生二十八名が巣立っていった。今日、卒業式だった。ダブルのスーツに、大きらいなネクタイをして、卒業生に贈る言葉。

「本日、諏訪《すわ》看護専門学校第五回卒業式を迎えた二十八名の卒業生諸君、おめでとう。仕事と学業を両立させるのは、たいへん困難だったでしょう。能力の限界を感じた者、きちんとした志をもたず、甘い思いで入学してきた学生は、つまずいていきました。今日ここにいる二十八名の諸君も、何度も『自分もやめよう』と思ったことでしょう。ここにいる一人ひとりにドラマがありました。

ある者は一年生のときに、元気だった夫をクモ膜下出血で亡くし、人生の途上で真っ暗闇に落ち込みました。わずかの灯りも感じられない真の闇だったのではないでしょうか。一時は息をするのも、食事をとるのも、眠ることさえつらく苦しいことだったと思います。しかし、しばらく休養をとると、彼女は学校に戻ってきました。実習で、特殊な脳梗塞《のうこうそく》のためロックド・イン・シンドローム（閉じ込め症候群）になった患者さんを担当し、肺炎を合併していた患者さんに痰《たん》を喀出《かっしゅつ》しやすくするために、手で胸部をやさしくたたくタッピングや吸引の看護で肺炎を克服しました。四肢をわずかにも動かすことのできない、口もきけなくなった患者さんの、わずかに残された機能である眼球運動とまぶたの上下運動を利用して、アイコンタクトを可能にしました。大脳を侵されていない患者さんに対し、本を読んであげ、車椅子で散歩ができるようにしてくれました。彼女はみずからのつらい苦しい体験を、見事に自分の成長へ向けたのです。四十八歳の今、卒業式を迎えました。

こんな学生もいます。彼女は、末期がんだが、家に帰りたいと思っていたお年寄りの患者さんを担当していました。家族は介護に自信がないため、受け入れに消極的でした。学生は、受け入れ体制の調整や家族を支えることによって、『家にいたい』というお年寄りの希望をかなえ、思いどおりに自分の家の畳の上で大往生を実現させました。これからやってくる悲しみのために、予期悲嘆におちいっている妻の精神的な支えとなり、家族を中心に緩和ケア病棟の看護婦やドクター、そして病棟主治医の往診などで、見事な在宅での看取《みと》りができました。亡くなった後の、家族の心のケアをするお悔み訪問まで、一連のクオリティの高い看護を実現しました。

臨床実習を、チームワークで成果をあげたグループもありました。グループでの妥協しない厳しいディスカッションで、ひとりだけが成績をあげるのではなく、全員が看護レベルを上げるグループが生まれました。助けたり、助けられたりのなかで友情も芽生えました。

そのなかで自分の意見をうまく表現できなかった学生が少しずつ、自分の考えを上手に人に伝えることができるようになりました。全員が、三年生になってから実習をとおして猛烈に成長しました。ペーパーテストの成績は決してよくありませんでしたが、体を動かすことによって、汗を流すことによって、患者さんと接することによって見事に成長したと思います。病んでいる方に教わるという、いちばんいいプロセスを通って、実践に強い、頭デッカチでない看護者になったように思います。

殺伐《さつばつ》とした近代医療のなかに押しつけにならないように注意しながら、あたたかな思いを伝えられる看護者になってください。一パーセントでも治療成績をよくするために、医療はいま以上に機械化を推し進めるでしょう。そのなかでレベルの高い、それでいてぬくもりのある人間的な看護を、二十一世紀の医療は必要としています。教科書に書かれたオーソドックスな看護を大事にしながら、しかもマニュアル看護者にならないでください。あなたたちに期待しています。

いよいよ旅立ちです。夢や希望をもちつづけるやさしい、明るい看護者でいてください。あなたの言葉の一つひとつ、あなたのたたずまい、あなたのもっている空気、あなたの笑顔、急に詰め込み過ぎてはち切れそうになっているあなたの知識、あなたが習得した看護のスキルを使って、病み苦しんでいる患者さんを支えてください。

二十八名の卒業生を誇りに思っています。旅立ちです。たくさんの病み苦しんでいる人々があなた方を待っています。今日、たまごから蝶にかえりました。自信をもって羽ばたきなさい。患者さんのところへ飛んでいきなさい。

本日はおめでとう」

人間は失敗しながら成長していく

医学という科学の場で、サイエンスを大切にしながらも、サイエンスだけで終わらない奉仕の心や、祈りの心を失わない看護者になってほしいと思っている。

ぼくらの学校は昼間の定時制で（二〇〇二年、全日制に変更）、正看護婦になるため、仕事をしながら学業をつづける人が多い。子育てが終わって、正看護婦になるために入学してくる人もいる。それぞれが人生の縮図を背負って集まってくる。

由美さんもちょっと変わっていた。大学の農学部を卒業して、会社勤めを二年間していた。しかし何か物足りなかった。兵田《へいだ》由美さんは高校生のとき看護婦になりたいと思っていた。

高校の先生から「君は看護に向いていないよ」といわれ、農学部へ進んだ。由美さんは会社勤めをしながら、夢中になれない自分を感じ、原点にもどりたいと思った。看護をやってみたいと無性に思った。

ぼくらの看護学校に入学して三年の夏、臨床実習で、望みどおりターミナルステージの患者の担当になった。

患者は小森のおじいちゃんだった。自然気胸で入院中、膵体部《すいたいぶ》がんが見つかった。手術して半年後、閉塞性黄疸《へいそくせいおうだん》を起こした。再発だった。膵臓《すいぞう》がんの予後はこのように悪いことが多い。

ＰＴＣＤという、黄疸をとるためにカテーテルを胆管のなかに入れる治療をおこなった。小森のおじいちゃんは鉄工の職人さんで、むっつりじいちゃんと呼ばれるほどしゃべってくれない。何を患者さんは考えているのか、看護婦のたまごの由美さんにはわからなかった。病の苦しみの軽減をはかりながら、気分のいいときを見はからって散歩をしたり、シャワー浴を進めていくと、少し心がとけだした。

「家へ帰りたい」と、小森のおじいちゃんはたまごにいう。家族はがんの末期の患者を家につれて帰ることに不安を抱いていた。特に小森のおばあちゃんは不安だった。一回外泊をさせてみようということになった。

外泊の後、病院にもどったおじいちゃんはとてもうれしそうだった。だが、おばあちゃんの顔は暗かった。「夫の面倒をみるのは苦にならないが、深夜、旦那の寝顔を見ていると仏様になったみたいでつらい」

「でも、おじいちゃんは家に帰りたいようだよ」というと、おばあちゃんは首を振った。「病院に置いてほしい」

ここで看護婦のたまごは考えた。小森のおじいちゃんと仲良くなり、おじいちゃんの信頼を得るだけでなく、小森のおばあちゃんの話を聞いてあげる必要を感じた。おばあちゃんには退院や在宅療養の話をしないようにして、悩みを聞いてあげるようにした。

毎朝おばあちゃんが面会にくる頃、病室にうかがって接する機会をもち、外泊の際の妻としての大変さに「ご苦労様」の声をかける。夫が妻の前では決していわない感謝の言葉を伝えるようにした。

「そりゃ、家がいいさ。カナリアのことも気になるし、花づくりのことも気になる。家にいりゃ、全部見わたしながら療養できる。家がいいに決まってる。だけど、ばあちゃんに苦労かけるからなあ」なかなか妻にはいわないおじいちゃんの正直な言葉を、たまごからおばあちゃんに伝えた。

二回目の外泊がおこなわれた。小森のおじいちゃんとおばあちゃんは、うれしそうに病院に帰ってきて、外泊中の様子を話してくれた。

おばあちゃんは「じいちゃんを家で看てもいいかな」といった。たまごは再度スタッフと話し合いをもち、おばあちゃんに在宅療養の説明をした。

「病気が病気だで仕方ない。その場が来なくちゃわからないしね。こっちが困ったら、いつでも入院できるかな。それだったら家で看てもいい」と以前より前向きな態度がみられた。

外科のドクターは、おじいちゃんは膵臓がんのターミナルステージで、あと二、三週かもしれないと思った。おじいちゃんの帰りたいという思いを大切にしようとした。彼はすぐに緩和ケア病棟の医長と婦長に相談した。たまごが小森のおばあちゃんの心をつかみだしていることが大きかった。スタッフ全体が、おじいちゃんの帰りたいという思いを大切にしようと考えた。そのために、おばあちゃんの不安を一つひとつ取ることにした。状態が悪くなったら、いつでも緩和ケア病棟に入院できる条件で、在宅療養をする。これで小森のおばあちゃんはちょっと安心した。

緩和ケア病棟のドクターと看護婦から、家族へ説明が入った。たまごは退院までのあいだ、できるだけわかりやすく、おばあちゃんといっしょに、昔気質《むかしかたぎ》の職人の清《せい》拭《しき》法や、下半身入浴などの退院指導をおこなった。援助の場面では、やりやすい方法を指導し、おばあちゃんができるだけひとりでやれるようにした。退院指導も、ひと目でわかるようなパンフレットをたまごが作り、症状への対処の仕方や病院に電話をするときの目安などを説明した。

小森のおじいちゃんはがん性腹膜炎で腹水がたまりだし、おなかがふくれていた。黄疸をとるため、いつも胆汁《たんじゅう》を外に出す袋を腹部にぶら下げて、退院に向けて歩行練習をしていた。おじいちゃんは何も不満をいわなかったけれど、たまごから見て、胆汁の袋が歩くのに邪魔そうだった。たまごは丸い紐でなく、使いやすさを考え、平たい幅のある紐で、いかにも職人に似合いそうな色合いのものを考えてみた。裁縫は不慣れだったが、おなかを邪魔しないように、それをたすきがけにして、横へ袋をぶら下げられる工夫をした。

おじいちゃんはたいそう気に入ったようだ。しかし、「ありがとう」のひと言だけだった。昔の職人は余計な話はしない。たまごはちょっとおっちょこちょいだった。失敗するとすぐにゴメンナサイとあやまる。昔の職人はニコニコしているだけだ。彼女のいないところで他の看護婦に「ああやって失敗しながら成長していくんだ」といい、やさしい目で見ていた。

待ちに待った退院の日が来た。たまごと二人だけになると職人は重い口を開いた。

「いい職人は技術だけではなく、必ず、心をもっている。看護婦さんの仕事も職人に似ているように見える。兵田さんはどう思っているか知らないけれど、通じるものがあるんだなあ」

たまごはドキドキした。うれしかった。シャイな職人の言葉はセンテンスとセンテンスの間に、大事な感情の言葉がすべて省かれている。患者さんだけを大切にするのではなく、これからやってくる悲しみに打ちのめされ、足がすくみ、何もできなくなっているおばあちゃんの心の支えになって、一つひとつ手づくりの退院指導をおこなったことが認められたのだ。それにおしゃれな、おじいちゃん専用の療養用具まで作ったたまごの看護の技術と、その後ろに隠れているやさしい心を、職人はちゃんと見ていてくれたのだと思う。そして、センテンスの最後には感謝しているよ、ありがとうという感情表現も、もちろん省かれていた。

それでもたまごはうれしかった。大学の農学部を出て、百八十度方向転換をして看護婦のイバラの道を進んできたが、このとき、「あっ、これでよかったんだ」と思った。涙が落ちた。

退院の翌日、外科のドクターと緩和ケア病棟のドクターが訪問した。小森のおじいちゃんは、今まで病院で見せたことがないほどのうれしそうな笑顔をした。ベッドからは庭の花が見わたせ、部屋には大好きな小鳥がいた。

おばあちゃんは「家に連れて帰るようにしてよかった」といった。手術をしてくれた外科のドクターと、体の痛みや心の痛みを取る緩和医療の専門ドクターが、いっしょに家まで来てくれる。これ以上の安心はないのではないか。小森のおじいちゃんの家には、ほのぼのとした空気がただよっていた。

日本の医療の悲しみ

昨日、甲府の町で、在宅ホスピスケアの専門医として開業している内藤いづみ先生から、日本でいちばん小さな、ぼくらの緩和ケア病棟に、患者さんが紹介されてきた。三十三歳の女性が大腸がんのため、静岡県の大きな町から東京の大学へ手術を受けに行った。手術はしたが、すでにターミナルステージだとのこと。本人に告知はされていない。夫はなんとかタイミングを見て、自分から妻に告知しようとしている。

大学からの紹介状をもって、以前、診《み》てもらっていた地元の大きな市立病院を訪ねたが、「この病院で診てもらいたいなら、通院するか入院するしかありません。訪問看護のシステムはあるが、医師の往診はない。どうしても家にいたいなら、開業医を主治医にしてください」といわれた。

妻は手術後、吐いたり痛みがつらく、安定した状態とはいえない。近くの開業医が痛みのコントロールをうまくできるとは思えない、と夫は悩んでいるらしい。地域のなかにネットワークは張られていなかった。患者さんと家族は完全に宙に浮いていた。大学病院を退院する前も、主治医に何度も「今後のことを相談したい」とお願いしたが、はっきりした丁寧《ていねい》な話は一度もなかった。紹介状を書いておくからと逃げられてしまった。手術をした大学病院に逃げられ、地元の病院からも逃げられ、藁《わら》をもつかむ思いで内藤いづみ先生に相談をし、ぼくらの病院を紹介された。

いづみ先生がもう少し近ければ、先生が在宅ホスピスケアをするのがいちばんだと思う。しかし、往復二時間というのは在宅ケアの限界を超えている。三十三歳の彼女はぼくらの病院の緩和ケア病棟に入院した。ペイン・コントロールが始まった。見事に楽になっていく。主治医からはじめて、時間をかけて、病気の真実の話が隠しごとなく話された。

彼女の病状は安定した。状態がよくなると、彼女も若い夫も「できれば家に帰りたい。だめでも家のそばの病院へ戻りたい」と当たり前の希望をもちはじめた。ぼくらもそれを望んだ。彼女は地元の市立病院へ転院した。内藤先生から手紙が届いた。

連日、彼女のご主人から電話が入り、悲痛です。看護が命を支えてくれないことにより、家族が深く傷ついています。〝乱暴、冷たい、投げやり、どっちでもいい。ほとんど死にかけている患者〃そんな応対です。

入院以来、陰部清拭を一度もやってもらえず、とうとうひどい状態になったら「上からオーダーが出ていない。婦人科で診てもらえ」ひどいですね。ほぼ傾眠《けいみん》（常時、ウトウトと眠っている状態）の患者が、あまりに乱暴な処置に目をさまして、「痛い、痛い」と叫ぶそうです。「もう少しやさしくゆっくりしてもらえませんか？」という願いに、「忙しくてそんなことできない」というナースの答えだそうです。諏訪中央病院のケアがいかに人間としてやさしいケアだったか、改めて気づいたそうです。この市立病院がひどすぎますね、はっきりいって。どうにか目をさましてもらえないのでしょうか？　院長の理念がないのだと思います。

家族は諏訪中央病院での看取りを願っていますが、おそらく時間切れになってしまうような予感がします。

ケアの力でどんなに最期がやすらかで、家族が救われるか——天国と地獄ですね——最期まで、そして逝ったあとも、ひとりの人間として大切にケアする、ということがどうしてこんなにむずかしいことになってしまうのでしょうか？

長々とすみません。またお会いできる日を楽しみにしています。

See You Again!　いづみ

この手紙を読んだ緩和ケア病棟の平方《ひらかた》ドクターは、「悲しいですね。ぼくが寝台車で迎えにいってもいいですよ」とやさしい申し出をしてくれた。もう動ける力が残っているかわからないが、この声はつらい思いで看病している家族にとって「希望」のひと声になるだろうなと思った。

一か月ほどして再び内藤いづみ先生からＦＡＸが入った。

朝霧《あさぎり》高原の真中に、彼女の家はありました。一家総出で工場をきりもりして、忙しそうに働いていました。霧雨が降っていました。庭から私が声をかけると、それぞれの目にたちまち涙があふれてきました。まだ四十九日もたっていません。悲しみは深く残っています。彼女の写真は諏訪中央病院を退院するときのものでした。うれしそうな笑顔！　諏訪中央病院で療養中のスナップ写真を、アルバムにはって、ごあいさつに来てくれる方々に、大切に見せていらっしゃるようです。心から感謝していました。お父さんもお母さんも、夫も弟も、「諏訪中央病院のケアのあたたかさを心の支えに、ここまで介護できました。救いでした」と、口々にいってくださいました。諏訪中央病院を退院して、地元の市立病院に着いたとたん、ナースが本人の前で、「どれくらい、これからもつといわれて来たんですか？」と聞いたそうです。それが悔《くや》しさと悲しさの始まりだったようです。

途中で、温厚なお父さんも、ナースに対して、「おい、すまないが、もう少し大切に扱ってくれませんか？　本人は感じる心をもっている。うちの娘はまだ生きているんだ。人間なんだ」と、声をあげたそうです。

もっともっとたくさんのつらい思いを語ってくれました。信じられない話もありました。床を拭いたタオルで、そのまま清拭をしたそうです。

私から一度そちらへ報告にいきますね。ご家族もいってましたが、身近の医療や看護の質をもう少しあげるには住民はどうしたらいいか……と。それでもこの病院は、その地方ではまだいいほうで、よそのもっとひどい病院から転院してくるそうです。そういう話も芋づる式に私の耳に入ってきます。閉鎖的な場を、どうやってオープン化して、新しい風に気づかせることができるか……。

いづみ

日本の医療は大学病院をピラミッドの頂点に、都市の大病院は大学病院をコピーして発達してきた。地方都市では、またそのミニ版をつくっていくという形で、病院の類型化がされていった。

こうやって進歩してきた日本の医療は、たしかに機械化という点では先進国に負けないような進歩をしてきたが、医療を利用する国民が本当に信頼し、安心できるシステムになっているのだろうか。この国は何か大切なものを置き忘れているように思えてならない。

医師や看護婦の研修制度も大きく変わろうとしているが、医療を受ける側が期待している、当たり前の病気を、当たり前にあたたかく治療をしてくれる医師や看護婦を、本当に養成できるのだろうか。日本じゅうの地方の小さな病院や診療所の医療が守られていくのだろうか。心配だ。

ぼくらは内藤いづみ先生に病院に来てもらい、在宅ホスピスケアの指導を受けた。病院での緩和ケアも、在宅での緩和ケアもともに大切である。医療に当たり前のあたたかさを取り戻すためには、どうしたらよいのだろうか。

三十三歳の大腸がんの女性の不安は、ある町の偶然の話ではなく、日本じゅうのどの町でもときどき見られる悲しい現実のような気がする。地方の小都市の悲しみだけではなく、大都会の大学病院や、大病院には、もっと大きな悲しみや不条理が横たわっているのではないだろうか。

なんでもないものが輝いている

小森のおじいちゃんの家ではおだやかな時間が流れた。

訪問看護に訪れたたまごに、病人がうれしそうに話してくれた。実にかっこいいいのだ。小森のおじいちゃんは哲学者になっていた。

「なんでもないものが輝いている」家に帰ってきたら、今まで気づかなかったものが輝いている。

すごくいい顔で職人はつづける。たまごは息を呑む。「隣でごはんを作っている音や香りがこんなに魅力的なものとは知らなかった」「心が動かされる」「家はいいね」たまごは感動で動けなかった。おじいちゃんは病院では食が進まなかったが、家に帰ると不思議に食事がとれるようになった。そして、亡くなる前日まで食事を楽しみにしていた。

十二日後、小森のおじいちゃんは家族、兄弟、緩和ケア病棟の看護婦に見守られながら、大好きな自宅で亡くなった。

おばあちゃんは「あんなに喜んでくれて、家に連れて帰ってよかったよ」といった。緩和ケア病棟医長と、手術をした外科医のドクターも駆けつけてくれた。小森のおじいちゃんを囲んで、家族とゆっくり故人のことを振り返って話をした。

たまごには不思議な光景だった。一人の人間が亡くなったのに、なんでこんなにおだやかな空気が流れているのだろう。哲学者の職人が満足してくれている。職人に寄り添ってきたつれあいが満足している。

「こんなにおだやかで、痛がらず、看ているほうも楽させてもらった。家に帰ってきたくて仕方なかった人だで、これでよかっただ。きのうはメガネをかけ、看護学生の兵田さんの暑中見舞いを読もうとしていた」と、涙を流しながら語る。

小森のおばあちゃんは、「がんばったね、ご苦労さん」と、哲学者の頭をなでる。娘さんは息子に、「おじいちゃんはまだ聞こえるから、さよならをいいな」と、泣きながら語る。

孫もおじいちゃんの手をとりながら、「ありがとう」と、涙ながらにお礼をいう。親戚の衆も「幸せだ、おじいちゃんは幸せだ」と、口々にいう。

おばあちゃんがたまごに声をかける。「じいちゃん、いちばんあなたを頼りにしていたから、体をきれいにするの手伝っておくれ」

たまごはうれしかった。涙をぼろぼろ落としながら、おじいちゃんの背中をふいた。おばあちゃん手づくりの肌じゅばんを着せてあげた。

哲学者の職人が亡くなって二週間たった。たまごは夏休みを利用してお悔み訪問をした。

おばあちゃんは、「家に連れて帰ってよかったよ。兵田さんのおかげだよ。おじいちゃんは、おどおどしているあなたのことがとてもかわいくてね。看護婦のたまごでもあなたのこと頼りにしていたのよ。おじいちゃんもきっと喜んでいると思うよ」と、涙を流しながら微笑んだ。

たまごとおばあちゃんは二人で手を握り合って泣いた。いっしょに泣いてくれる人がいたことは、おばあちゃんの心をどんなに楽にしたことだろう。

九月、たまごは連絡せずに、再びおばあちゃんの家を訪ねた。おばあちゃんは留守だった。手紙を置いてきた。

おばあちゃんから折り返しお礼の手紙が来た。二人は手紙や電話を使ってなぐさめ合った。たまごが卒業試験に夢中になっているとき、小森のおばあちゃんからたまごに、小荷物が届いた。おばあちゃんの手づくりの漬物と果物やお菓子がいっぱいつめ込まれていた。亡くなったおじいちゃんとおばあちゃんの心がつめ込まれていたのだと思う。栄養つけて、かぜひかないように試験がんばってくださいと、やさしいメッセージが入っていた。

卒業試験も国家試験も終わった。国家試験に合格したたまごは故郷の広島に帰る。

卒業式の前日、たまごはいちばんの先生だったかもしれない小森のおじいちゃんに、お別れのお線香をあげるため、おばあちゃんを訪ねた。おばあちゃんはテーブルいっぱいのごちそうを作って待っていてくれた。ごちそうはテーブルにのりきらなかった。おばあちゃんの感謝の心があふれていた。おばあちゃんと二人だけの楽しい時が流れた。

「あなたが作ってくれた、胆汁の袋をぶら下げる手づくりの紐、おじいちゃんすごく気に入っていてね。散歩しないときは使わないんだけど、いつも手の届くそばに置いて、うれしそうにながめていたんだよ。あなたには内緒だったけど、おじいちゃんを棺のなかに入れるとき、あれをおじいちゃんの手の触れるところに入れてあげた」

　泣き虫のたまごはまた泣いた。おばあちゃんも泣いた。こうやって二人は何度も何度も泣きながら、大切な人を亡くした悲しみを薄めていくのだろう。たまごが帰ろうとすると、隣の部屋には布団が用意してあった。泊まっていけという。たまごはおばあちゃんにとって孫のようになっていたのかもしれない。卒業式の準備をしないといけないので、たまごはおいとまをした。広島にはリンゴはないだろうと、リンゴのおみやげが用意されていた。娘さんからは、たまごは泣き虫だからといって、タオル地のハンカチがプレゼントされた。

　おじいちゃんの魂に寄り添おうとした結果、まわりの人間の魂が寄り添ったように思った。


　卒業式、看護婦のたまごの由美さんの看護を思い出しながら校歌を聴いている。ぼくらの校歌は、うちの病院の、音楽好きの外科のドクターが作詞作曲してくれた。不思議にしっとりしたいい曲である。題は『愛のたまご』。野暮《やぼ》ったい曲が多い校歌と違い、おしゃれなメロディで、とても校歌とは思えない。ぼくは『愛のたまご』の美しい曲を聴きながら、小森のおじいちゃんとおばあちゃんとたまごの三人のすてきな交流を思い出している。

小さな力と大きな夢と
優しい心と支えあう力
限りない命に悲しみがあれば
支える力になりたくて
夢ならばここにある愛のたまご
夢ならばここにある愛のたまご

子供のころから信じてた夢を
叶えるために力を合わせて
めまぐるしくまわる世界の中で
温かい笑顔をたやしたくない
夢ならばここにある愛のたまご
夢ならばここにある愛のたまご

今日、たまごは蝶にかえった。たまごが羽ばたくときが来た。つらい苦しいときを過ごしている病んでいる人のもとへ。たまごの旅立ちである。たまごが飛んだ。

御神渡《おみわたり》

諏訪の冬は厳しい。とにかく寒いのである。地球の温暖化が進むなかで、最近は諏訪湖が全面結氷することも少なくなってしまった。しばらく御神渡も見ていない。

八ヶ岳の山頂高く月がかかる深夜の静寂のなか、厚く張った氷が収縮し、シーン、シーンと亀裂音が走る光景は神話の国、諏訪の風物だ。諏訪神社の上社の男神が諏訪湖を渡って、下諏訪にある下社の女神に会いに行くという、ロマンティックな逢引き伝説が地元に言い伝えられている。翌朝、逢引きに向かう巨大な足跡が、全面結氷した厳寒の湖上に残る。厳寒の地で諏訪の人たちは、じっと春を待ちながら「御神渡」という優雅な名をつけて、冬を耐《た》えていたのかもしれない。そんな湖周に人々は集まり、集落がつくられた。湖周の岡谷《おかや》や諏訪の町場《まちば》の人々からは、八ヶ岳山麓《さんろく》の地は「山裏」といわれている。

山裏の泉野《いずみの》に住む百歳のミチさんを、訪問看護で初めて訪ねたときのことだ。ミチさんはそれまでに二回の脳出血を起こして寝たきりになっていた。

「はじめまして、鎌田といいます。よろしくお願いします」

百歳のミチさんは笑いながら「先生、はじめてでないよ」といった。

ぼくは一瞬まずいなあと思い、記憶のページをたぐった。家のなかを見まわすと鴨居《かもい》にかかっているじいちゃんの写真に見覚えがある。

「あっ、うしおさんの奥さん？」

「そうそう」うれしそうに笑っている。

一九七四年に、ぼくは神話の国の住人になった。その頃お世話し、看取った患者さんがミチさんのご主人だった。

「それじゃミチさんは、六年前大腸がんの手術をしたミチさんだ」記憶の糸口が急激にほどけていく。

九十二歳の自己決定

同居のお嫁さんや娘さんによると、ミチさんは九十二歳で大腸がんの手術をした後、四年間、軽い野良仕事をしていたとのこと。パセリの出荷時期になると箱づめを全部してくれて、みんな助かったと、笑いながら話してくれた。

このミチさんの大腸がんを発見したときは、判断に困ったことを覚えている。進行した大腸がんであることと、九十二歳という高齢であることとで、家族とともに迷いながら、「ぼくがミチさんと同じ立場に立たされたなら、手術はしてほしくないな」とぼくの人生観を話した。暗に無理して手術をしなくてもよいのですよと伝えたかった。

しかし、心やさしい家族は困った。がんがあるのに、「何もしなくてよい」と決断できなかった。本人の意向をぼくが上手に確かめることにした。

しかし、驚いたことに九十二歳のミチさんはやる気満々だった。「病気があるのに手術しないほうがおかしい」と元気いっぱい。同室の手術前の患者さんから借りた、呼吸訓練の風船をふくらませてみる。外科のドクターや家族の迷いはなくなった。九十二歳のおばあちゃんが自分の生き方をしっかりと決めた。がんが見つかったといって、高齢者に一方的に手術を強要することも許されないが、同時に高齢者や重度障害者には手術しないと、病院が勝手に決めることも許されない。何歳であろうと自己決定のできる方には、本当の病気の話をしてあげ、患者さん自身に選択をしてもらうことが重要なのだ。

ミチさんの大腸がんの手術は成功し、回復も順調だった。術後の四年間、野良仕事ができたと聞いてとてもうれしかった。その後、ミチさんは脳出血を起こして寝たきりになってしまったが、百歳のお祝いの日には、村で花火を上げて祝ってくれた。

寝床から見えるように、花火は近所の空き地から打ち上げられた。ところが笑い話のようだが、あまりに近すぎてミチさんにはシュッと上がる瞬間しか見えなかった。

この日、隣家のおばさんが「百歳を祝う花火や菊明かり」と俳句を詠んでくれた。多くの人がミチさんの長生きを本当に喜んでくれた。

「パセリの出荷の時期には猫の手も借りたいほど忙しい。寝る時間もないほど忙しくなる。そんな時期に病人を看るのはホントつらいよ」と涙ぐんでいた看病役の娘さんも、ミチさんが徐々に食事がとれなくなると、「ここまでよく生きた。よくがんばってくれた」と覚悟がしだいにできてきた。

一九九五年二月二日、ミチさんは水を二口しか飲めなくなった。

「あと何回、みなさんに来てもらえるか。次までがんばれるか。本当に貴い一日一日になってきた」と家族がしみじみと語る。ミチさんのまわりのすべての人々が、最終コーナーをまわったことに気づいている。そして翌日、彼女は家族と親戚と近所の人々に看取られて、とても穏やかな表情で永眠された。

今日は死ぬのに
とてもよい日だ。
あらゆる生あるものが

私と共に仲よくしている。
あらゆる声が私の内で
声をそろえて歌っている。
すべての美しいものが
やってきて私の目のなかで
憩っている。
すべての悪い考えは
私から出ていってしまった。
今日は死ぬのに
とてもよい日だ。
私の土地は平穏で
私をとり巻いている。
私の畑にはもう最後の
鋤《すき》を入れ終えた。
わが家は笑い声で満ちている。
子供たちが帰ってきた。
うん、今日は死ぬのに

とてもよい日だ。

(© Nancy Wood from Many Winters, Bantam Doubleday Dell 1973. All rights reserved.　丸元淑生訳)

ミチさんの看取りを終えたとき、タオスのプエブロ・インディアンの、ひとりの老人の詩がぼくの頭のなかをかすめた。自分がいよいよ死ぬ。けれど、自分の子供が帰ってきて、孫がいて、自分の土地には鍬《くわ》や鋤が入り、もう春の準備ができている。人間が死ぬという現実と、命のあり方を子供たちに伝え、自分の耕してきた大地を、移り変わる季節のなかでバトンタッチをしていく。ミチさんも同じだ。子供や孫に引き継がれたことを実感しながら、あの世へ帰っていった。永遠に別れる死は悲しい。死はいつやってくるかはわからないが、悲しいことに、死だけはすべての人間に平等にやってくる。

　ミチさんの看取りをとおして、ここでもまた大切なことを教えられた。悲しみを緩和してくれたのは「命のリレー」だった。脳死体の臓器移植が日本ではじめておこなわれた日、マスコミはこぞって「命のリレー」という言葉を使った。ぼくはそのときおかしいぞと思った。臓器移植という技術を使って心臓や肝臓を受け渡していくのは、本当の命のリレーではないのではないか。

プロレスラーのTさんが進行した肝臓がんを治すために、臓器を求めてオーストラリア、フィリピンと渡り歩いて、肝臓移植の手術中に亡くなった。いま日本では、二十六名の人が肝臓移植の順番を待っている。臓器を買おうとして旅をしたTさんの思いはどんなだったのだろうか。ファンや友人からもひき離され、異国の手術台でひとり寂しく、あの世へ逝《い》く彼の姿を思うと、言葉にならない悲しみにおそわれる。

移植が成功したとして、本当にそれが命のリレーだったのだろうか。ぼくたちはこれから心臓や肝臓をバトンの代わりに手にもって、走りだすのだろうか。命のリレーというのはそんなに即物的なものではないと思う。臓器にいつか価値が生まれ、値がつき、貧しい者から富める者へ、一方向に臓器がバトンタッチされないことを切に願わずにはいられない。せめて命の生き死にのところはお金のあるなしや、権力や身分に左右されることなく、公平性が保たれていてほしいと思う。

二十世紀、人類は科学を進歩させることで、多くの困難を克服してきた。地球上に住むすべての生命体のバランスのなかで、ホモサピエンスの上品さが問われているような気がしてならない。ぼくたちの二十世紀は、巧みに生きることを子供たちに教えてきた。本当にそれでよかったのだろうか。世紀末、想像を超える残虐《ざんぎゃく》な子供たちの犯罪が多発する日本、二十世紀を通して走りつづけてきた「巧みに生きること」の生き方が何か影響しているように思えてならない。

よく考え、よく生き、よく死ぬとき、不器用だが手ごたえのある生が見えてくるような気がする。

このタオスの老人の詩はたくさんの人に訳されている。丸元淑生氏の訳がすばらしい。とくに最後のフレーズ“yes, today is a very good day to die”「うん、今日は死ぬのにとてもよい日だ」は、肩の力が抜け、生きることも死ぬことも自然に受け入れていく姿が、「うん」という言葉に隠されているように思う。自然なのか宇宙なのか神なのかはわからないが、大いなるものの呼びかけにこたえて“yes, today is a very good day to die”としめくくっているように思える。見事な命のバトンタッチが幻の光景としてぼくには見えたような気がした。

ミチさんも夫を看取り、九十二歳で大腸がんの手術を受け、二回の脳出血を起こしながらも家族のすばらしい看病を受け、百歳の祝いに村人に花火を上げてもらった。思い残すことなく、自分の家の畳の上で、たくさんのお孫さんたちの声を遠くに聞きながら、腰の曲がりはじめた娘さんたちに手を握ってもらい、あの世に旅立たれた。

信州らしくない暖かな日がつづいている。この冬も「御神渡」は見られなかった。その後、何回もの冬たちが過ぎていったが、御神渡は一度も見ていない。ぼくらの地域は神話の国ではなくなりだしているのかもしれない。

あとがきにかえて

弱い人、困っている人をやさしく診《み》てあげる医者になれと、父、岩次郎はくり返した。ぼくは守ると岩次郎に約束した。二十六年前、住みなれた東京を離れた。田舎医者になる決意はいつも揺れながら、たくさんの友人や先輩や病院のスタッフや患者さんに支えられ、教えられてここまで田舎医者を貫きとおすことができた。

夢中で働いてきた。全力を出しきった。たくさんの病気を治療させてもらった。そして、思い違いかもしれないが、たくさんの病気を治してきた。病気をかかえるたくさんの患者さんやその家族を支えさせてもらった。働きがいのある充実した時間であった。しかし、なんと多くの命を救うことができなかったことか。心から申しわけないと思う。

「お風呂に入れちゃう運動」でお風呂に入ってから、風邪をひいて亡くなってしまったおばあちゃんの家族をはじめとして、たくさんの方々の理解や許しのなかで、今日まで医療活動を続けることができた。心から感謝したい。

三十歳代で突然、院長にさせられたあと、これでよかったと思うことは少なかった。もっと他に良い方法があったのではないかという後悔の連続であった。貧困な政治のなかで、医療は向かい風をもろに受ける厳しい環境にある。そのなかで、クオリティの高い医療、丁寧《ていねい》な医療、あたたかな医療を続けることはとてもむずかしいことだった。一つの区切りが近づいているように思う。若くしてぼくはチャンスをもらった。今また、別の若い医療者たちが、二十一世紀の新しい地域の医療に挑戦するときが来ている。近々、諏訪中央病院も若い世代へバトンタッチされていくだろう。

ぼくの先生たちは患者さん一人ひとりであった。幸せの黄色いハンカチを振る山根のばあであったり、あるときは、ぼくのおチンチンを触るよしばあちゃんだったり、あるときはじいちゃんの布団のなかに入ってあげたかったと残念がるたぬきのばあちゃんであったり、ここに登場するみんながぼくの先生であった。

ぼくは小林一茶が好きだ。生涯の不遇な生活がなんともいえないペーソスのある作品を残した。「人は人われはわが家の涼しさよ」自立した信州人の意地のようなものが感じられて好きだ。ここに登場してもらった「ぼくの先生たち」の一人ひとりに、われはわが家の涼しさよという、他人をうらやまない、自分流の生き方に魅力を感じる。

ぼくの思いを語ったところ以外はすべて事実である。事実から始まり、ぼく流の味付けをした。プライバシーを守るため、「ぼくの先生」の名前は少し変えたり、男の人を女の人に変えたりして事実関係を少しぼかしている部分もある。「先生はオレの名前、忘れてしまったのか」とか、「オレの名前ちょっと刷りまちがいだあ」「私はこんなに年はとっていない」とか思わずに、これはひょっとしたらオレのこと、私のことかもしれないと思ってくれれば幸いである。

ひとつの事実の裏に、たくさんの似ている事実が実在する。ひとつのよい具体例はたくさんの普遍性をもっているような気がする。読んでくださった多くの方が、この話はウチの話に似ていると思われることだろう。そうあってほしいと思っている。

本をつくるきっかけとなったのは、ＮＨＫの「ラジオ深夜便」だった。放送を聞いた人から回線がパンクするほど電話がかかり、たくさんの人から感動したと手紙が届いた。そのなかに集英社の編集の方からの手紙も混じっていた。「深夜便」の話をもとに本にしようと準備が始まった。今まで医療系の出版社から、医療を提供する立場から命のあり方を問う本を出版してきた。今度は、医療を受ける人の立場から、こんな医療があったらいいなあという視点で本をつくってみようと思った。一年かけながら、過去をひもといていった。忘れかけた記憶をたぐり寄せながら、一つひとつ大切に掘りおこした。

ジグザグに生きる

歌人道浦母都子《みちうらもとこ》の「『今日生きねば明日生きられぬ』という言葉想いて　激しきジグザグにいる」という歌がいつも気になっている。

一九六〇年代後半の、あの時代の落とし前をきちんとつけて生きたいと思って、ぼくは今日を精いっぱい生きてきた。田舎医者でいることにこだわりながら、ワンステップ、ワンステップ、激しいジグザグ模様をつくってきた。この本のなかでぼくはあえて大学時代の生活に触れていない。

あの時代の心の決着がぼくのなかでまだできていない。都落ちするな、という友人の言葉に逆らって、どうしても都落ちしたかった自分があった。孤立無援のなかで生きる自分を見つめてみたかったのだろうか。孤独な実存を目指した自分の思いと違い、信州の自然と諏訪の人々によってぼくの心は癒《いや》され、想像外の急展開をした。吉本隆《よしもとたか》明《あき》の「共同幻想論」に対峙《たいじ》するような、「共生」とか「地域共同体」とかいうワナに、むざむざとからめ捕られていく自分の姿を感じた。それを遠くから批判的にながめている自分と、共生というくもの巣にからめ捕られながら、ある種の気持ちよさを感じているもうひとりのぼく自身を発見したのである。

それは東京では感じえないものであった。信州の豊かな自然のなかで生活しているとき、自然あるいは環境によって生かされている自分を感じる。自分さがしにこだわっていたちっぽけな自分が見えてきた。

ヘルスボランティアの保健指導員のおばさんや、多様なボランティア活動で病院を支えてくれている方々や、土にこだわって生活している土地のおじいちゃん、おばあちゃんとの交流をとおして、協同でつくりあげてきた祭りや、健康づくり運動や、福祉の町づくり運動や、そのほか言葉にならない何かがぼくを変えた。国家としての全体主義を批判してきた自分は今も変わりない。小さな地域にこだわって、協同的な世界を形づくっていくことが、二十一世紀に必要とされているのかもしれないと、考えが少し変わってきた。あるひとりの人の健康を守るということは、その人がいっしょに生活する家族の健康を守ることであり、その地域の健康を育てることが大切だと、いつも心のなかの自分にいい聞かせてきた。苦悩する現代の医療システムのなかで、ぼくらの病院のドクターや看護婦さんや多様な職種のスタッフたちが、それぞれの専門性を生かして、病んでいる方々を全力で支えている毎日をぼくは尊敬し、誇りにし、感謝している。

二十一世紀の超高齢化社会の解決策として、介護保険制度が施行されたが、この制度はあくまで一般身体介護サービスであって、本質的に大切なことが欠落している。人間のさびしさを解決してくれるサービスではないということ。この法律をつくった人たちは、ルールの平等性や透明性を高めるために、あえて承知でこの制度のなかに、長生きができるようになって障害をもち、病気になって生きていく人たちの「さびしさ」には目を向けなかったのである。二十一世紀の人類にとって最も大きな問題は、情報長寿社会のなかの、人間のさびしさではないだろうか。この本のなかのぼくの先生たちの生き方に、介護保険制度にはないさびしさの解決策が隠れているような気がする。

がんになったとき、つらい心のなかで『がんばらない』の主人公たちに会ってほしい。脳卒中のお年寄りを介護しているお嫁さんに、『がんばらない』の主人公たちの声を聞いてほしい。少し勇気をもらえるのではないだろうか。

障害をもって苦しんでいる人、脳卒中や心筋梗塞《しんきんこうそく》で倒れた人、糖尿病で治療を受けている人、がんの告知を受けて悲しみのなかにいる人、がんとの闘いに希望を見出そうとしている人、がんとの闘いに疲れた人、生きている意味が見えなくなってしまっている人に、『がんばらない』の主人公たちに会ってほしいと思う。

笑いたいと思っている人は、ワッハッハと笑ったり、ニヤッとしてなるほどと思ったりしてほしい。泣きたい人はいっぱい泣いてほしい。いっぱい泣くと、人間は不思議に元気が出てくるものだ。元気がある人はこの本を読んで、もっともっと元気を出してもらいたい。小さな元気しかもちあわせてない人は、使わず貯金していたちっぽけな元気を思いきり使いきってほしい。元気な人から元気を借りてでも元気を使っていると、不思議に大きな元気がたまってくる。

物や金や情報よりも大切なものがあるはずだ。二十一世紀、忘れていた魂への心くばりをぼくたちの乾いた心にとり戻したいと思う。

解　説

荻野アンナ

不思議な本である。野の花や、薫る風について語るのと同じさり気なさで、死が取り上げられている。花や風は、見つめるものの目を洗ってくれる。同じ無心の慰めが、本書にはある。

奇跡のキノコやお茶で、末期ガンから生還した、という類の話ならゴマンとある。医師が、患者の最期を紹介する例は、ありそうで無い。

人間である以上、死ぬときは死ぬ。その当たり前に、蓋をするのが現代社会の慣わしになっているからだろう。

昔の大往生は、畳の上と決まっていた。今は病院でスパゲッティ状態となり、最後は機械の示すデータが、生死の境界線を決める。家から切り離されて、死は日常の一部ではなくなった。

非日常ならば、直視せずに済む。できれば無かったことにしたい。いつまでも若く健康、が至上命令となる。

筒井康隆の短編を思い出す。大金持ちが歳を取り、傷んだ臓器をひとつ、またひとつ、健康なものと取り替えて、最後は総入れ替えとなる。元の体で残っているのは歯だけですね、と聞かれた大金持ち、その歯を剥いて答えるのだ。昔からこれは入れ歯じゃよ。

臓器移植が一般化する前の作品だが、もはやSFよりも現実に近くなっている。将来の治療をアテにして、遺体を冷凍保存。実際に行われていると、読んだことがある。そこまで出来ない庶民でも、サプリメントなら手が届くし、シワの一、二本はプチ整形で取れる。死んでもいいから健康がほしい、というジョークが、ジョークではなくなっている。

そこでクイズをひとつ。

「人はすべて○○」

空白のところを、どう埋めるか。「スケベ」や「欲ばり」はいいセンいっているが、中には清貧で、俗っ気のない人もいる。例外がない、とくれば、可能性は二つに絞られる。

すなわち愚と死。

人類みな愚か。いや私は賢い、という人は、すでにその自信が愚かさの証明になっている。納得できない方には、エラスムスの『痴愚神礼賛』（一五〇七年作、翻訳アリ）をおススメする。何を隠そうこの私、一六世紀文学を専門としており、そんな昔を勉強して何の得があるかといえば、われわれが忘れた人間の基本が、わかりやすいかたちで提示されている。

愚かな人間は、おろおろ生きて、全員が死ぬ。毛の生えた心臓と鉄の胃袋の持ち主でも、いつかは必ずくたばる。忘れるなよ、という叫びが、ヨーロッパの中世からルネサンスを貫いている。メメント・モリ（死を忘れるな）の教えは、精神の源流となり、また「死の舞踏」のようなテーマを生んで作品となった。

「死の舞踏」とは何か。死に神のガイコツが、あらゆる人間とペアを組んで踊りながら、あの世へと彼らを誘う。キリスト教世界で一番エラい教皇から始まって、皇帝、貴族と続き、最後は貧者、赤ちゃんまで。ペアの行列を、日本なら巻物にするのだろうが、あちらでは横長の壁画が、墓地や教会を飾っていた。

ペスト・飢餓・戦争の時代に、壁画は字の読めない人にも、万人に平等な死を教えてくれていた。現在も、地球のかなりの面積は、エイズ・飢餓・戦争の犠牲になっている。そうと知ってはいるけれど、実感のないまま、ハリボテのような繁栄にしがみついている私たち。たまには心の贅肉落として、基本の基本に返りたい。その場合、ヨーロッパへ行って現存する壁画を拝む、という手間をかけなくても、本書を熟読玩味すればよい。

本書に教皇や貴族のような大層な人たちは出てこない。家族思いの主婦なお子さん。スケート選手だった研治くん。ガンコ一徹の岩次郎さん。もてなし好きの山根のばあ。ダジャレをかます和尚さん。みな市井でささやかに生きてきた。思わぬ病を得、動揺し、逆らえない運命と悟ると、それぞれが見事に自分の人生の幕を引いてみせる。

天寿をマットウと言われる年齢でも、死の受容は、本人にも家族にも難しい。ましてや高校三年生で悪性リンパ腫を発症し、はたちの命を終えた研治くんの例は痛ましすぎる。その彼が、告知を乗越えて現実を受けとめ、最期を前にして、自分の葬式に注文を出し、墓地をわが眼でたしかめる。

心動かされた後に、疑問が残る。研治くんは聖人君子ではない。ごくフツーの好青年として描かれている。理不尽な定めに、怒りも迷いもあったが、最終的には残りの生を充実させることを選んだ。特別の信仰を持たなかった彼が、なぜここまでの勇気を得、人格を完成させることが出来たのか。

なぜ、と自分の胸に問うことを繰り返しているうち、はたと気付いた。哲学とは死に備えること、というキケロの言葉を、モンテーニュが伝えている。たしかに哲学や信仰は、人を支える。しかし哲学や信仰以上に、人を支えるものがある。

自立という言葉に、私たちはふりまわされ過ぎたのかもしれない。ひとりでも生きられる私、を目指し、自分で自分につっかえ棒をしようとした。他人とかかわるのはその後、と思い込んできた。ところがどっこい、つっかえ棒はすぐに外れてしまうのだ。

人は人によって支えられる。寄りかかりながらも、寄りかかり過ぎない。その按配をわきまえる以上の自立は、幻想でしかあり得ない。

研治くんの命の枝が細ってきたとき、何本もの支柱が差し出された。家族、仲間、ガールフレンド。中でも入院先の医師と看護婦の役割は大きい。彼の死後、引き出しの中から「寺院や神社のお守り」がぞろぞろ出てきたエピソードは雄弁である。「西洋医学のまっただ中」にありながら、若い患者のために「平然と神だのみ」をする看護婦たち。それを「いい話」と受けとめる著者。

著者が勤務し、やがて院長となった諏訪中央病院は、ほとんどユートピアの観がある。なぜ「ほとんど」か。ユートピアの語源は「どこにもない場所」の意味。諏訪中央病院は諏訪に実在しているから、「どこにもな」くない。ただしこんな病院、あり得るのだろうか、と眼をこすりたくはなる。

病院については、ちょっと詳しい。ここ数年、両親が交互に体を壊して、地元横浜から東京まで、はうぼうでお世話になった成果である。名医が一人、後はイマイチのA院。レベルは高いが、看護婦さんが忙し過ぎるB院。ばばちいC院は、入院費踏み倒して夜逃げの患者がいる。はやらない病院にも利点はあって、ヨソなら二ケ月待ちのMRIの、予約がすぐに入る。

昨春は母が調子を崩した。連れていった個人病院で不整脈が見つかり、大病院に紹介された。循環器科から始まって呼吸器科、消化器科、神経内科、血液科。芋づる式のキャラバンで、検査を受けるたび、疑惑と病名が増えていった。

長い待ち時間と検査の連続で、病人は体力を消耗する。仕事のやりくりをして付きそう側も、山盛りの病名におののき、焦燥感がつのる。

大騒ぎのあげく、軽い肺気腫と気管支喘息に落ちついて、現在も通院中。一年経った今は全貌が見える。早い話が、五十年間煙草を吸い続けたツケがきた。ガタがきた年寄りの体は、血液検査をすれば肝臓の数値が悪い。CTを取れば脳梗塞の痕跡がある。

病院は科による縦割りの体制だ。全身が弱っているときの細部を、細部ごとに扱う。たとえば、遠目なら一目で象とわかるのを、鼻と胴体と手足に分けて虫眼鏡で観察しているようなものだ。「人間の疾病を部品の故障と考えたデカルト」以来の伝統は、複雑な技術に走り、単純な基本を忘れる弊害もあるようだ。

「デカルト的な考え方に対抗」した著者と、その仲間の努力は、患者の来ない幽霊病院を、文字通り花咲き乱れるユートピアに変身させた。経緯はさらりと語られ、苦労や絶望の痕跡は残されていない。しかし無言の行間にこそ、思いの深さを読み取るべきだろう。

田舎の現実は、岩よりも硬い。塩分たっぷりの漬物をもりもり食べねば野良仕事の力は出ない、という数百年来の信念を前にして、ヨソモノの知識など無に等しい。それでも岩を動かせたのは、学生運動の闘士としての経験が大きいと思う。理想が純粋だった分、挫折の痛みは骨まで届いたはず。痛みを知って骨太になった体が、具体的な活躍の場を与えられ、徐々に本来の力を発揮した。時差はあったけれど、当時の理想の一部は諏訪に根を下ろし、大木となり、枝葉はチェルノブイリまで届いた。

まっすぐに正面を見つめる著者だから、解説の私も、正直に言わせてもらう。医師と患者がお互いを支えあう姿に勇気をもらいながら、同時に忸怩《じくじ》たる思いもあった。本書の患者は、いずれもすばらしい家族に恵まれている。わが身を振りかえると、両親を送った後は、一人の老後が控えている。都会の孤老でも、本書のような人間らしい最期を迎えることは出来るのだろうか。オキテ破りかもしれないが、面識もない著者に、直接お伺いをたててみた。

「施設であろうが、一人暮らしであろうが、家族の中で看取られたような状態で逝くことは可能だし、そうあるべきだと思っています」

受話器ごしの声は、本書のイメージそのままに、深くて暖かい。

「看護師さんが、孫になったつもりで見てあげる、という心構えが大事でしょう」

血縁は大事だが、こだわり過ぎても歪みを生む。家族「のような」繋がりの中で、人は生きて死んでいく。その認識が、二一世紀にはますます必要になるだろう、とのこと。

安心したついでに、恥かしい質問もした。往診に来た医師がうたた寝から熟睡となり、患者の家で朝ご飯を食べてから出勤、というエピソードがある。

「うちは私の仕事の関係で、『温かなごはんと味噌汁』を用意できないんです。コンビニのおにぎりでも大丈夫ですか」

本書は特例で、原則として医師は患者のゴチソウにならない。

「一杯の水でもいいんです。心の問題です」

しかし、と鎌田先生は付け加えた。人間、本当につらいときは、しっかり作った「ごはんと味噌汁」が一番。おかずはいらない。それだけで、生きる力が湧いてくる。

「僕も二、三日前にやりましたよ」

最高の処方箋ではないか。さっそく私も、と戸棚を探る。煮干がない。化石のようなかつおぶしパックが出てきた。冷蔵庫に、肝心の、味噌がない。カマッタ、いや困った、と床にへたりこんだ。お後がよろしいようで。

集英社文庫

鎌田 實の本

好評発売中

命のある限り、あきらめないで。

あきらめない

働き盛りでがんになり、余命6か月と宣告されても転移に負けず、7年生き抜いた男性。思いがけない妊娠でシングルマザーとなった女子大生。あと3か月といわれながら、子供の卒業式まで生きたいと闘病を続けた母親―。辛い体験だが、病気をしたからこそ、見えてくることがある。命のある限り、あきらめないで丁寧に生きて欲しいと願い、あたたかな医療をめざして尽くす医師。珠玉のエッセイ集。

集英社文庫

がんばらない

2003年6月25日　第1刷　　定価はカバーに表示してあります。
2007年6月6日　第15刷

著　者　鎌田《かまた》　實《みのる》

発行者　加藤　潤

発行所　株式会社　集英社
東京都千代田区一ツ橋2-5-10　〒101-8050
電話　03-3230-6095（編集）
03-3230-6393（販売）
03-3230-6080（読者係）

印　刷　図書印刷株式会社

製　本　図書印刷株式会社

フォーマットデザイン　アリヤマデザインストア　　マークデザイン　居山浩二

ISBN978-4-08-747589-0 C0195